Primera edición

S0-BZV-687

Tutor de Estándares Comunes
Artes del lenguaje 3

Tutor de Estándares Comunes, Artes del lenguaje, Primera edición, Grado 3   T358NA   ISBN-13: 978-1-62928-991-5

Cover Design: Q2A/Bill Smith   Cover Image: Jennifer Kalis

Triumph Learning® New York, NY

Contenido

Estándares estatales comunes

RF.3.3.c; W.3.2.a–d; W.3.4;
W.3.5; W.3.6; W.3.7; W.3.8;
W.3.10; SL.3.1.a–d; L.3.1.h, i;
L.3.2.g; L.3.3; L.3.4.d;
L.3.5.a, c

RI.3.1; RI.3.2; RI.3.3; RI.3.4;
RI.3.5; RI.3.7; RI.3.8; RI.3.10;
RF.3.4.a, c; SL.3.1.a–d; L.3.3;
L.3.4.a

W.3.1.a–d; W.3.4; W.3.5;
W.3.6; W.3.10; SL.3.1.a–d;
L.3.1.g; L.3.2.a–d; L.3.3;
L.3.5.b, c

Leer mitos y fábulas

Observa esta imagen del cielo nocturno. ¿Qué crees que pensaba la gente sobre la Luna antes de que los científicos explicaran qué era?

PREGUNTA ESENCIAL

¿Cómo puede un relato inventado con personajes imaginarios enseñarnos algo sobre la vida real?

Considerar ▶

¿Qué pasa cuando dos fuerzas de la naturaleza, el viento y el Sol, tienen una discusión?

¿En qué se parecen el viento y el Sol a personas reales?

FÁBULA Una fábula es un relato que deja una enseñanza. En las fábulas hay animales o cosas de la naturaleza que se comportan como personas. Las fábulas son imaginarias, pero incluyen algunas cosas reales. Este relato empieza con una discusión imaginaria entre el viento y el Sol. ¿Qué parte de esa discusión se parece a la realidad?

HACER Y RESPONDER PREGUNTAS Si te haces preguntas y buscas respuestas mientras lees, puedes entender mejor un relato. En esta página, podrías preguntarte por qué discuten el viento y el Sol. ¿Qué otras preguntas podrías hacerte acerca de lo que ocurre o de cómo son los personajes? Busca respuestas a esas preguntas mientras lees.

CLAVES DEL CONTEXTO A menudo puedes entender una palabra que no conoces si buscas pistas o claves del contexto en las palabras que la rodean. Mira la palabra *derrota* en el párrafo 9. ¿Qué claves del contexto puedes usar para entender el significado de *derrota*?

El viento y el Sol

adaptación de una fábula de Esopo

1   Un día, el viento y el Sol discutían acerca de quién era más fuerte.

—Yo soy mucho más fuerte que tú —dijo el Sol.

—¡No seas tonto! —dijo el viento—. ¡Yo soy más fuerte!

Los dos amigos discutían, pero no podían ponerse de acuerdo. De golpe, un hombre que vestía una capa oscura llegó por el camino.

5   —Ya sé cómo podemos terminar con esto —dijo el Sol—. El que pueda hacer que ese hombre se quite la capa es el más fuerte. Tú primero —dijo, y se ocultó detrás de una nube.

—Qué fácil —dijo el viento—. Le he sacado el sombrero a mucha gente con mis soplidos.

El viento se preparó y sopló contra el hombre. El viajero se aferró a su capa. El viento decidió soplar más fuerte, y el hombre se aferró más a su capa.

Al final, el viento se dio por vencido.

—Soplé con todas mis fuerzas —dijo con voz de derrota—. Ya no tengo aire.

10 —¿No es tan fácil, no? —preguntó el Sol, con una sonrisa—. Ahora me toca a mí.

El Sol lo iluminó con unos pocos rayos, y el hombre abrió su capa. Cuando el hombre se detuvo a tomar agua del río, el Sol lo bañó con toda la fuerza de su calor. Al poco tiempo, el hombre sudaba muchísimo. Al fin, se quitó la capa y la dejó sobre la hierba.

—Eso es todo. ¡Yo soy más fuerte! He ganado la discusión —dijo el Sol. Después, más humildemente, preguntó: —¿Podemos ser amigos de todos modos?

Moraleja: A menudo se logra más siendo gentil que usando la fuerza.

ILUSTRACIONES
Las ilustraciones o imágenes a menudo ayudan a contar una historia. Una imagen puede mostrar más detalles acerca de los personajes y ayudarte a entenderlos mejor. ¿Qué aprendiste acerca del viento y del Sol en esta imagen?

MORALEJA "El viento y el Sol" es una fábula. Termina con una moraleja o enseñanza breve acerca de la vida. ¿Qué aprendió el viento en esta fábula? ¿Cómo podrías usar esta enseñanza en tu vida?

Escuchar y aprender

Considerar ▶ ¿Por qué el Sol aparece y desaparece en el cielo?

¿Por qué tenemos luz solar y oscuridad?

adaptación de un mito paiute

MITO Un mito es un relato que explica cómo empezó algún aspecto de la naturaleza. ¿Qué crees que explicará este mito?

USAR ILUSTRACIONES
Las imágenes pueden mostrar la apariencia de los personajes y cómo se comportan. Si estudias las ilustraciones de un relato, puedes entender mejor la personalidad y las acciones de un personaje. Mira las imágenes de Tavu en estas páginas. ¿Qué dicen los detalles de las imágenes acerca de Tavu? ¿Cómo ayudan las imágenes a contar el relato?

PUNTO DE VISTA El punto de vista indica quién cuenta el relato. En este relato, el narrador cuenta lo que pasa. ¿Quién es el narrador del relato? ¿Es uno de los personajes o alguien que no forma parte del relato? ¿Cómo lo sabes?

1 Hace mucho tiempo, no había muchas horas de luz solar. Las noches eran largas y los días, muy cortos. Los paiute no tenían mucho tiempo para cazar antes de que anocheciera.

El conejo Tavu quería ayudarlos, así que decidió ir al origen de la luz solar. Preparó su arco y sus flechas, y se dirigió hacia el Este, donde estaba el Sol.

Tavu viajó mucho. Recorrió bosques y saltó sobre piedras para cruzar los ríos. Al fin, llegó al borde del mundo, donde vivía el Sol. Esa noche, se ocultó detrás de una roca y esperó a que el Sol saliera por la mañana.

Cuando el Sol comenzó a salir, Tavu tomó su arco y sus flechas. Apuntó y disparó. La flecha ni siquiera llegó cerca del blanco. Se quemó antes de acercarse. Tavu volvió a intentar. Se acercó al Sol, soltando flecha tras flecha. Todas las flechas se prendían fuego antes de llegar al Sol.

5 Tavu estaba triste. Solo le quedaban dos flechas. Se sentó y comenzó a llorar. Lloró tanto que sus lágrimas empaparon las dos flechas que le quedaban.

Tavu juntó fuerzas. Volvió a apuntar y disparó una de las dos flechas. Sonrió cuando vio lo cerca que estuvo de dar en el blanco. ¡Casi le da al Sol! Húmedas de lágrimas, las flechas no se quemaban. Disparó su última flecha. Dio en el blanco, y el Sol cayó al suelo.

Tavu se movió con rapidez. Cortó el Sol en trozos y lanzó uno al cielo.

—Sube más que antes y haz que los días sean más largos —ordenó. Luego, corrió tan rápido como pudo.

El Sol, enojado, trató de perseguir a Tavu. Cada vez que se acercaba, el inteligente conejo se ocultaba. El Sol terminó por darse por vencido. Tavu miró cómo subía cada vez más alto en el cielo. Estaba muy contento.

—Ahora los días serán más largos —dijo.

Cuando Tavu regresó, los paiute celebraron y organizaron un baile del sol en su honor. Le pidieron a Tavu que volviera a pelear con el Sol.

—Queremos luz todo el tiempo —dijeron.

—No —dijo Tavu—. Necesitan la noche tanto como el día. Deben tener tiempo para dormir.

Y, desde ese día, el mundo tiene día y tiene noche para que la gente pueda trabajar y descansar.

10

DETALLES Los detalles ofrecen información. Nos dicen quién, qué, cuándo, dónde y cómo. Un detalle de este relato es que las flechas de Tavu se mojaron con las lágrimas. ¿Por qué la flecha húmeda puede llegar al Sol?

VOLVER A CONTAR Una manera de disfrutar un relato es volver a contarlo, es decir, repetirlo con tus propias palabras. Para volver a contar el relato, primero debes pensar en la idea principal: el conejo Tavu hace que el Sol pase más tiempo en el cielo para que la gente tenga más luz. Luego, piensa en los detalles que dicen cómo logró eso Tavu. ¿Qué detalles sería importante incluir al momento de volver a contar el relato?

TEMA Este mito explica que, en casi todo el mundo, el día está dividido en períodos bastante parejos de luz y de oscuridad. El relato también tiene un tema. Un tema es un mensaje o una verdad que sugiere el relato sobre la vida. Uno de los temas de este relato es que una persona pequeña puede lograr algo grande si es valiente y decidida. ¿Cómo apoyan ese tema las cosas que hace Tavu en el relato?

Comprobar la comprensión

Vuelve a leer "El viento y el Sol" y "La luz del sol". Responde a las preguntas sobre cada relato completando la tabla.

	"El viento y el Sol"	"La luz del sol"
Tipo de relato ¿Es un mito o una fábula?		
Personajes ¿Quiénes son los personajes?		
Propósito ¿Cuál es el propósito del relato?		

Vocabulario

Usa el siguiente mapa de palabras para definir y usar una de las palabras de vocabulario resaltadas de la lectura "Compartir y aprender" u otra palabra que te indique tu maestro.

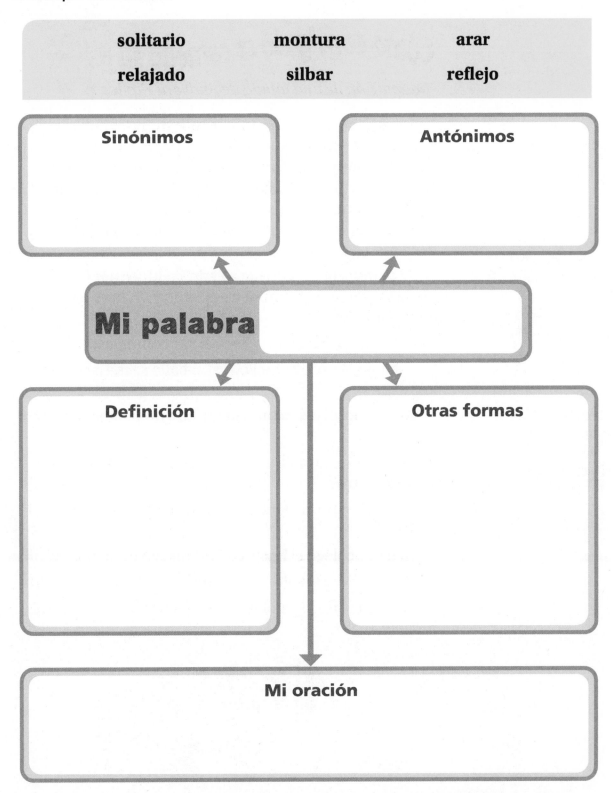

| solitario | montura | arar |
| relajado | silbar | reflejo |

Sinónimos

Antónimos

Mi palabra

Definición

Otras formas

Mi oración

Considerar ▶ ¿Cómo trabajan para el hombre los distintos animales de este relato?

¿Por qué está tan preparado el camello para vivir en el desierto?

DETALLES ¿Por qué el camello vive en el desierto?

_____

_____

_____

CLAVES DEL CONTEXTO
Busca la palabra arar en el párrafo 9. Encierra en un círculo las palabras cercanas que te ayuden a comprender lo que significa *arar*.

USAR ILUSTRACIONES
Estudia la imagen de la página. ¿Qué crees que el caballo, el perro y el buey piensan del camello?

_____

_____

_____

Cómo consiguió el camello su joroba

adaptación de una fábula de Rudyard Kipling

1 En el inicio de los tiempos, con el mundo nuevo y reluciente, cuando los animales empezaban a trabajar para el hombre, había un camello que vivía en el medio de un desierto muy solitario porque no quería trabajar y porque él también era solitario. Comía palitos y espinas, y siempre que alguien le hablaba decía "Jojojo". "Jojojo", y nada más.

Al tiempo, el caballo fue a verlo un lunes por la mañana, con una montura en el lomo y un freno en la boca, y le dijo:

—Camello, camello… ven a trotar como nosotros.

—Jojojo —rio el camello, y el caballo se fue a contarle al hombre.

5 Al tiempo, el perro fue a verlo, con un palito en la boca, y le dijo:

—Camello, camello… ven a buscar y atrapar palitos como nosotros.

—Jojojo —rio el camello, y el perro se fue a contarle al hombre.

Al tiempo llegó el buey, con el yugo en el cuello, y le dijo:

—Camello, camello… ven a arar la tierra como nosotros.

10 —Jojojo —rio el camello, y el buey se fue a contarle al hombre.

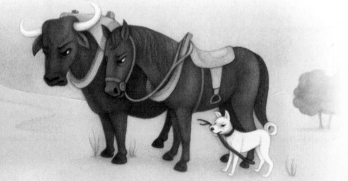

PUNTO DE VISTA ¿Quién cuenta la fábula: un personaje o un narrador que está fuera del relato y sabe todo acerca de los personajes? Explica cómo puedes darte cuenta.

_____

_____

_____

HACER Y RESPONDER PREGUNTAS Este relato tiene muchos personajes distintos. ¿Qué preguntas puedes hacerte acerca de los personajes y de cómo se tratan?

_____

_____

_____

DETALLES ¿Qué significa para los otros animales que el camello se niegue a trabajar?

_____

_____

_____

Al final del día, el hombre llamó al caballo y al perro y al buey, y dijo:

—Mis Tres, mis Tres… Lo siento mucho (con el mundo tan nuevo y reluciente), pero esa cosa que se ríe en el desierto no puede trabajar, o ya estaría aquí. Voy a tener que dejarlo en paz, y ustedes tendrán que trabajar el doble para compensar.

Los Tres se enojaron mucho (con el mundo tan nuevo y reluciente)… y el camello llegó masticando hierbas, de lo más relajado, se rio de ellos, "Jojojo", y se fue.

Al tiempo llegó volando en una nube de polvo el genio[1] que estaba a cargo de todos los desiertos (los genios siempre viajan así).

15 —Genio de todos los desiertos —dijo el caballo—. ¿Está bien que alguien esté tan relajado, con el mundo tan nuevo y reluciente?

—De ninguna manera —dijo el genio.

[1] **genio** en los mitos, espíritu que puede aparecer con forma animal o humana

—Bueno —dijo el caballo—, hay una cosa en el medio de este desierto tan solitario (esa cosa también es muy solitaria) con cuello largo y patas largas, que no trabajó nada desde la mañana del lunes. ¡No trota!

—¡Vaya! —dijo el genio silbando—. ¡Apuesto todo el oro de Arabia a que es mi camello! ¿Qué dice él sobre esto?

—Dice "Jojojo" —dijo el perro—, ¡y no busca ni atrapa palitos!

20   —¿Dice algo más?

—"Jojojo" y nada más, y no quiere arar la tierra —dijo el buey.

—Muy bien —dijo el genio—. Si me esperan un minuto, ya le voy a dar "Jojojo".

El genio se envolvió en su capa de polvo, buscó por el desierto y encontró al camello de lo más relajado, que miraba su reflejo en un estanque de agua.

—Mi viejo y querido amigo —dijo el genio—. ¿Cómo puede ser que no estés trabajando nada, con el mundo tan nuevo y reluciente?

25   —Jojojo —dijo el camello.

CLAVES DEL CONTEXTO
Mira la palabra reflejo en esta página. Encierra en un círculo las palabras cercanas que te puedan ayudar a comprender el significado de reflejo.

HACER Y RESPONDER PREGUNTAS En este relato, el genio y el camello tienen papeles importantes. ¿Qué pregunta podrías hacerte acerca del papel del genio en esta parte del relato?

El genio se sentó con el mentón en la mano y comenzó a pensar en un gran hechizo mientras el camello miraba su reflejo en el estanque.

—Como tú estás tan relajado, los Tres han tenido que trabajar más desde el lunes —dijo el genio con el mentón en la mano.

—Jojojo —se rio el camello.

—Si fuera tú, no volvería a decir eso —dijo el genio—. No te conviene decirlo demasiadas veces. Quiero que trabajes, camello.

30 —Jojojo —dijo el camello, pero antes de terminar de decirlo, vio que su lomo, del que estaba tan orgulloso, se hinchaba y se hinchaba y tomaba la forma de una enorme joroba.

—¿Viste? —dijo el genio—. Esa es tu propia jojojoroba, que te ganaste por no trabajar. Hoy es jueves, y no trabajas desde el lunes, cuando todos comenzaron a trabajar. Ahora vas a trabajar.

—¿Cómo? —preguntó el camello—. ¿Cómo puedo trabajar con esta jojojoroba en el lomo?

DETALLES Tanto "El viento y el Sol" como este relato tienen un hombre como personaje. ¿En qué se parecen estos personajes humanos? ¿En qué se diferencian?

_____

_____

_____

USAR ILUSTRACIONES Mira las ilustraciones de la página. ¿Cómo te ayudan a entender el relato los detalles de las ilustraciones?

_____

_____

_____

VOLVER A CONTAR Piensa en los personajes y los sucesos del relato. ¿Qué detalles incluirías si volvieras a contarlo?

_____

_____

_____

—Eso es a propósito —dijo el genio—. Es porque perdiste esos tres días de trabajo. Ahora podrás trabajar tres días sin comer porque puedes vivir de tu jojojoroba. ¡Y no vayas a decir que nunca hice nada por ti! Deja el desierto, ve a ver a los Tres y compórtate. ¡Nada de "Jojojo"!

Y el camello salió del desierto, con su jojojoroba, y se juntó con los Tres. Desde ese día hasta hoy, el camello siempre va con su jojojoroba (ahora le decimos "joroba", para no herir sus sentimientos), pero nunca recuperó esos tres días que perdió en el origen de los tiempos y todavía no aprendió a comportarse.

MORALEJA La moraleja del relato es que evitar el trabajo y las responsabilidades tiene consecuencias. ¿De qué manera la historia del camello es un ejemplo de esa moraleja?

_____

_____

_____

Los camellos son útiles porque pueden llevar cargas pesadas por muchas millas sin cansarse. Sin embargo, a menudo son testarudos y es difícil manejarlos.

El camello puede pasar mucho tiempo sin comer porque guarda grasa en su joroba. Puede quemar esa grasa para obtener energía.

Preguntas para comentar y afianzar los estándares

Comenta las siguientes preguntas con tus compañeros. Luego, anota las respuestas en los espacios en blanco.

1. ¿Crees que el castigo que recibió el camello fue justo? Respalda tu respuesta con detalles del texto.

_____

_____

_____

_____

_____

_____

2. Ahora que el camello tiene su joroba, ¿cómo podría cambiar su comportamiento? ¿En qué podría tener el mismo comportamiento que tenía en el origen de los tiempos? Respalda tu respuesta con detalles del texto.

_____

_____

_____

_____

_____

Comprobar la comprensión

1. En "Cómo consiguió el camello su joroba", el camello a menudo dice "Jojojo". ¿Por qué dice eso en lugar de explicar por qué no trabaja?

_____

_____

_____

2. Compara lo que hicieron el hombre y el genio con el camello. ¿Quién actuó mejor? ¿Por qué?

_____

_____

_____

3. ¿En qué se parecen el genio de "Cómo consiguió el camello su joroba" y Tavu, el conejo de "La luz del sol"? ¿En qué se diferencian?

_____

_____

_____

Leer por tu cuenta

Lee por tu cuenta otra fábula, "El tigre se gana sus rayas". Ten en cuenta lo que aprendiste en esta lección y comprueba tu comprensión.

Lección 2

Leer cuentos breves

Observa esta imagen del Museo de Sherlock Holmes, en Londres. Aquí se muestra cómo habrían vivido los personajes de los relatos de ficción de esta lección.

¿Qué puedes decir de Sherlock Holmes a partir de esta imagen?

PREGUNTA ESENCIAL

¿Por qué es agradable leer cuentos breves?

Photo courtesy of Elliot Brown

Considerar ▶ ¿Por qué los autores describen tan detalladamente a los personajes y los sucesos de sus relatos?

¿Cómo usan el diálogo los autores para describir a los personajes?

CUENTOS BREVES Un cuento breve se cuenta en unas pocas páginas. Es posible que un solo libro incluya varios cuentos. Cada cuento tiene un conflicto, es decir, un problema que deben resolver los personajes. ¿Cuál es el problema de este cuento?

SECUENCIA La secuencia es el orden en el que ocurren los sucesos. Para que un cuento tenga sentido, los sucesos deben seguir un orden lógico. En este cuento, ¿cuál de los dos eventos ocurre primero? a) Clark deja el salón de clases. b) Alguien lleva el examen al alféizar de la ventana.

CLAVES DEL CONTEXTO Las claves del contexto son palabras o frases que te ayudan a comprender el significado de una palabra que no conoces. En el párrafo 7, ¿qué claves del contexto te ayudan a comprender el significado de la palabra *intruso*?

La aventura de los tres estudiantes

adaptación del cuento de
Sir Arthur Conan Doyle

Capítulo 1

1 Sherlock Holmes y yo habíamos dejado Londres por unos días. Siempre me gustó acompañar a Holmes en sus aventuras. Pero, por una vez, en esta oportunidad no teníamos misterios por resolver. Estábamos de visita en la vieja universidad de Holmes. Tenía que investigar algunas cosas en la biblioteca. Nos hospedamos en una antigua posada, muy agradable. Por la tarde del tercer día, recibimos la visita de un viejo amigo, el profesor Clark. Era fácil ver que Clark estaba muy preocupado.

—Holmes, Watson, deben ayudarme —dijo Clark. Explicó que planeaba tomar un examen de griego el día siguiente. Había pasado toda la mañana en la oficina de su departamento preparando el examen. Después del mediodía, abandonó la oficina por un rato. Cerró la puerta y dejó el examen sobre el escritorio. Cuando regresó, la puerta de la oficina estaba abierta, y las hojas del examen estaban sobre el alféizar de la ventana.

—¡Alguien entró y copió el examen! —dijo Clark—. ¡Debemos encontrar al tramposo!

Fuimos a la oficina de Clark.

5 —¿Dejó alguna otra pista el ladrón? —preguntó Holmes.

Clark había encontrado un pequeño trozo de arcilla negra sobre su escritorio. Después, nos mostró un rayón de tres pulgadas que había sobre el escritorio.

—No te preocupes, Clark. Encontraremos al intruso —dijo Holmes—. ¿Podemos ver el cuarto que sigue a este?

—Es mi habitación —dijo el profesor Clark y nos llevó allí.

Entramos a la habitación de Clark. Holmes dio un vistazo y vio algo en el suelo.

10 —¿Qué es esto? —preguntó mientras mostraba un pequeño trozo de arcilla negra. Era igual al que Clark había encontrado en su escritorio—. El intruso también estuvo aquí —dijo Holmes.

—Sorprendiste a esta persona, Clark —continuó Holmes—. Por eso no volvió a poner el examen en su sitio. Había empezado a copiarlo en la ventana para poder ver si regresabas.

—Pero no pasé por esa ventana —dijo Clark.

ILUSTRACIONES Las imágenes de un relato se llaman ilustraciones. Esas imágenes nos ayudan a entender a los personajes y el escenario de la historia. Contribuyen a crear el tono de la historia y también nos muestran sucesos importantes. ¿Cuál es el escenario de la ilustración de esta página? ¿Cómo describirías el ánimo de los personajes de la ilustración?

ESCENARIO El cuento se desarrolla en un escenario. A diferencia de muchos otros cuentos de Sherlock Holmes, este cuento se desarrolla fuera de Londres. ¿Qué detalles conocemos acerca del escenario de este cuento? ¿Por qué es importante el escenario para la trama?

CAPÍTULOS Los capítulos son las secciones de un relato. A menudo, la última parte de un capítulo nos da una pista sobre lo que vendrá después. Al final del capítulo 1, Holmes sonríe y dice que quiere hablar con los estudiantes. Su sonrisa es una pista acerca de lo que está pensando. ¿Qué crees que pasará en el próximo capítulo?

—Exacto. El intruso oyó tus pasos. No tuvo tiempo de poner el examen de vuelta en tu escritorio. Cuando oyó que venías, corrió hacia aquí.

—¿Puede ser que haya salido por la ventana? —pregunté. Estábamos en el primer piso.

15 —Demasiado riesgoso, Watson —dijo Holmes—. Alguien podría haberlo visto afuera. Seguramente salió al corredor por la puerta de la habitación, pero no salió de la casa por la puerta principal, porque tú lo habrías visto pasar por la puerta de tu oficina, Clark.

Holmes salió al corredor.

—¿Adónde lleva esta escalera, Clark?

—Bueno, allí arriba viven tres estudiantes —dijo Clark.

—¿Los tres tienen que hacer este examen? —pregunté.

20 —Sí —dijo Clark.

—Me gustaría conocerlos —dijo Holmes, con una sonrisa.

Capítulo 2

—No podemos revelarles la razón de nuestra visita. Diremos que estamos haciendo un recorrido por la universidad —dijo Holmes mientras subía las escaleras.

En el segundo piso vivía un estudiante llamado David Martin. Clark nos dijo que era un gran atleta. Martin había ganando muchas competencias en disciplinas de atletismo, como maratón y salto en largo. No era un estudiante brillante, pero Clark dijo que podíamos confiar en él. Cuando entramos en su habitación, nos dio la bienvenida con calidez. Era muy amistoso y bastante alto.

Después visitamos a Rani Patel. Era una joven tranquila. Parecía estar ligeramente nerviosa, pero era muy educada.

25 En el último piso vivía Mark O'Brien. El profesor dijo que era muy inteligente. Cuando tocamos a la puerta, O'Brien no nos permitió entrar.

—¡No me importa su recorrido por el campus! ¡Estoy estudiando! —gritó.

CARACTERÍSTICAS DE LOS PERSONAJES Las características de los personajes son los aspectos de los personajes que podemos conocer a partir del relato. Pueden ser características físicas, como el color de pelo, o descripciones de la personalidad. En el párrafo 23 aprendemos que David Martin es confiable, cálido, amistoso y alto. ¿Qué características tiene Rani Patel?

DIÁLOGO Lo que dicen los personajes se llama diálogo. El diálogo nos ayuda a entender mejor a los personajes ya que muestra cómo son. El diálogo de Sherlock Holmes en el párrafo 22 muestra que es astuto y que siempre está pensando y haciendo planes. ¿Qué nos dice el diálogo de Mark O' Brien en el párrafo 26 acerca del personaje?

MOTIVACIONES Las motivaciones son las razones por las que los personajes hacen lo que hacen. A veces, los personajes dicen directamente cuáles son sus motivaciones. En otras ocasiones, tenemos que usar datos del cuento para descubrirlas. En el párrafo 26, ¿qué razones da O'Brien para negarse a abrir la puerta? ¿Crees que esa es su verdadera motivación?

Después, Holmes le preguntó al profesor por la altura de O'Brien.

—Bueno, tiene más o menos la misma altura que Patel. Es mucho más bajo que Martin, desde ya.

Holmes nos dio las buenas noches. Antes de salir, le dijo al profesor que no se preocupara.

30 —Volveré por la mañana. Estoy seguro de que atraparemos al tramposo.

Al día siguiente, encontré a Holmes tomando el desayuno.

—Tengo algo que mostrarte —dijo con orgullo. En la mano de Holmes, había tres pedacitos de arcilla negra—. He resuelto el misterio, Watson.

Capítulo 3

Clark caminaba por su oficina cuando lo encontramos.

—¿Fue O'Brien? —preguntó—. ¿O la señorita Patel? Estaba con los nervios de punta cuando la vimos ayer.

35 —Ninguno de los dos —dijo Holmes. Luego, le pidió a Clark que llamara a Martin. Martin entró y se sentó.

Holmes habló directamente:

—Eres un buen muchacho, Martin. ¿Por qué haces trampa?

—¿Cómo lo supo? —preguntó Martin con los ojos llenos de lágrimas.

—El profesor Clark dijo que eras experto en salto en largo. Ayer, visité las pistas de atletismo del campus. En la pista de salto en largo, encontré la misma arcilla que encontramos en la oficina y la habitación de Clark —dijo Holmes—. Volvías de entrenar. A través de la ventana de la oficina, viste el examen sobre el escritorio. Un estudiante más bajo no lo habría visto. Entraste y copiaste el examen. Cuando el profesor Clark volvió, sacaste tus zapatos de atletismo del escritorio rápidamente y se te cayó un poco de arcilla. Además, rayaste el escritorio con los picos de los zapatos, ¿correcto?

40

—Sí, señor —dijo Martin.

Martin sacó una carta de su bolsillo y la entregó a Clark.

—Ya había decidido confesar. Lo siento mucho —dijo Martin.

—Martin, todos merecen una segunda oportunidad. No serás castigado. Hoy caíste muy bajo. Espero que en el futuro veamos cuán alto puedes llegar —dijo el profesor Clark.

—Tiene mi palabra —dijo Martin.

TRAMA Los sucesos de un relato conforman la trama. La trama gira en torno de un problema que los personajes deben resolver. El problema se desarrolla a medida que avanza el cuento, y la trama llega a un clímax o punto de inflexión. Esta es la parte más emocionante del relato. Después, una vez resuelto el problema, viene el desenlace o la conclusión. ¿Qué parte de la trama muestra esta página?

Comprobar la comprensión

Vuelve a leer "La aventura de los tres estudiantes". ¿Cómo te ayudan los sucesos del cuento a entender al personaje de Sherlock Holmes? Explica de qué manera estos sucesos te ayudan a comprender a Sherlock Holmes.

Suceso: Sherlock Holmes va a la universidad a investigar un tema.
Característica del personaje: Holmes es curioso y disfruta aprender.

Suceso: Holmes acepta ayudar con el misterio.

Característica del personaje: _____

_____

_____

_____

Suceso: Holmes le promete a Clark que encontrarán al tramposo.

Característica del personaje: _____

_____

_____

_____

Suceso: Holmes explora las pistas de atletismo.

Característica del personaje: _____

_____

_____

_____

Vocabulario

Usa el siguiente mapa de palabras para definir y usar una de las palabras de vocabulario resaltadas de la lectura "Compartir y aprender" u otra palabra que te indique tu maestro.

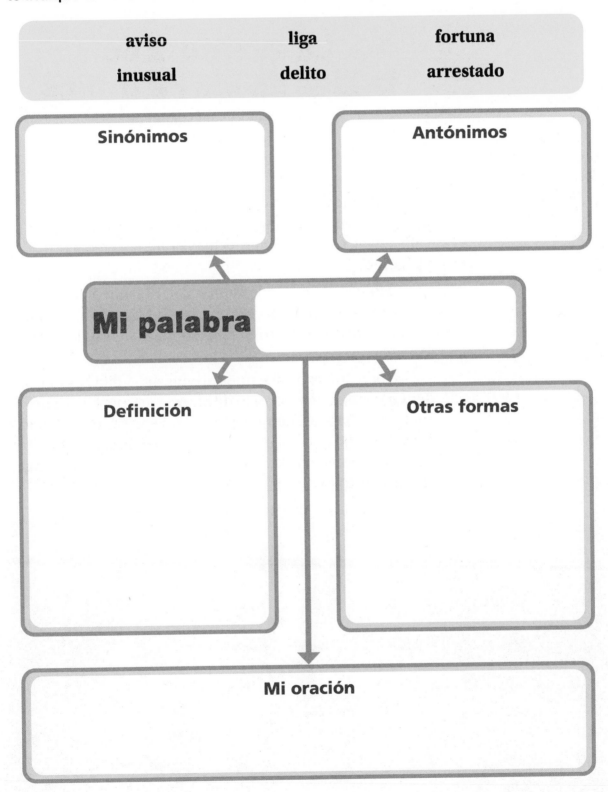

| aviso | liga | fortuna |
| inusual | delito | arrestado |

Sinónimos

Antónimos

Mi palabra

Definición

Otras formas

Mi oración

Considerar ▶ ¿Por qué crees que un autor escribiría muchos libros y cuentos con el mismo personaje principal?

¿Qué aprendiste acerca del detective Sherlock Holmes a partir del último cuento que leíste?

La aventura de la Liga de los Pelirrojos

*adaptación del cuento de
Sir Arthur Conan Doyle*

HACER Y RESPONDER PREGUNTAS ¿Qué quieres saber acerca de la Liga de los Pelirrojos? Escribe tu respuesta a continuación. Piensa en tu pregunta mientras lees.

_____

_____

_____

Capítulo 1

1　　Era un día de lluvia en Londres. Decidí visitar a mi amigo Sherlock Holmes. Caminé hasta su casa en la calle Baker. Cuando llegué, vi que Holmes ya tenía otro visitante.

　　—Hola, Watson —dijo Holmes —. El señor Nelson acaba de contarme algo sorprendente. Menudo caso para nosotros. Señor Nelson, ¿podría contarle su historia a Watson, por favor?

　　—Todo empezó hace unos dos meses —dijo Nelson—. Tengo un pequeño negocio de libros. La venta ha estado mal desde hace un tiempo. Un día, mi encargado me trajo un aviso. Dijo que lo había visto en el periódico. El aviso decía que había un puesto de trabajo disponible en la Liga de los Pelirrojos.

　　—¿La Liga de los Pelirrojos? ¿Qué es eso? —pregunté.

5 —Yo tampoco sabía qué era —dijo Nelson—. Al parecer, un millonario pelirrojo murió y dejó su fortuna a los pelirrojos de Londres. El aviso decía que se podía ganar mucho dinero, sin trabajar mucho a cambio. Parecía demasiado bueno para ser cierto.

Nelson sacó el aviso de su bolsillo y me lo entregó.

—Pensé que debía investigar un poco sobre este grupo —dijo Nelson—. ¿Qué problema podía haber? El dinero me viene bien. Así que decidí ir al domicilio que aparecía en el aviso.

Capítulo 2

—No podía creer lo que veía —continuó el señor Nelson—. Había un mar de cabello rojo fuera del edificio. Nunca había visto tantos pelirrojos. Después de un rato, llegué a la oficina. En un escritorio pequeño había un hombre con cabello rojo, que dijo que yo era la persona indicada para el trabajo. No podía creerlo. Me contrataron sin hacerme una pregunta.

—¿Y cuál era el trabajo? —pregunté.

10 —Solo querían que copiara todas las palabras del diccionario. Tenía que llegar a las 10:00 todas las mañanas. Si me iba antes de las 2:00 de la tarde, no me pagaban. Pero, ¿por qué habría de irme? Pagaban bastante bien, y el trabajo era muy fácil. Mi encargado podía cuidar mi tienda por las mañanas.

CLAVES DEL CONTEXTO
¿Qué palabras te ofrecen pistas acerca del significado de fortuna? Enciérralas en un círculo.

MOTIVACIÓN ¿Por qué Nelson quiere saber más acerca de la Liga de los Pelirrojos?

_____
_____
_____

LENGUAJE NO LITERAL
¿Qué quiere decir Nelson cuando habla de un "mar de cabello rojo"?

_____
_____
_____

SECUENCIA ¿Nelson contrata a su encargado antes o después de empezar a trabajar para la Liga de los Pelirrojos?

—Las cosas siguieron así durante ocho semanas —nos dijo Nelson—. Ayer, cuando fui a trabajar, no pude entrar a la oficina. Había un aviso en la puerta que decía que La Liga de los Pelirrojos había cerrado. Estaba confundido. Pregunté al dueño del edificio por la Liga de los Pelirrojos. Me dijo que no sabía lo que era.

—Vaya, qué extraño —dije.

—Bueno, no parece que se haya cometido un delito —dijo Holmes—. Nadie le hizo daño, pero sí es bastante inusual.

—Usted dijo que su encargado era nuevo, ¿no? —preguntó Holmes.

15 —Sí —respondió Nelson—. Lo contraté hace tres meses. Pidió muy poco dinero por su trabajo. Creo que pasa demasiado tiempo en el sótano. Lo está limpiando desde hace semanas. De todos modos, no puedo quejarme. Sé que él podría encontrar un trabajo mejor. Creo que es todo lo que puedo decirle.

—Gracias, señor Nelson. Vamos a investigarlo —dijo Holmes. Yo sabía que no habría manera de detenerlo. Nunca conocí a alguien tan curioso como Sherlock Holmes.

Holmes y yo salimos. Pasamos por la librería de Nelson. Holmes se detuvo. Comenzó a nombrar todo lo que veía.

—Ahí está el mercado, y después, la librería de Nelson. Después viene el banco, después una cafetería y la oficina de correo.

Yo ya había visto a Holmes haciendo eso. Trataba de recordar cada detalle. Holmes entró en la librería y volvió a salir apenas un minuto después. Por la ventana, vi al encargado. Pregunté a Holmes si habíamos ido solamente a ver al encargado de Nelson.

20 —No solo a él.

—¿Qué cosa, entonces?

—Las rodillas de sus pantalones.

—¿Y qué vio? —pregunté.

Holmes no contestó. Dijo que tenía trabajo que hacer. Me pidió que nos viéramos esa noche.

25 —Prepárese —dijo—. Puede ser peligroso.

CARACTERÍSTICAS DEL PERSONAJE ¿Por qué Holmes comienza a nombrar los edificios que están cerca de la librería?

_____

_____

_____

CAPÍTULOS Vuelve a leer lo que dice Holmes al final de la página. ¿Por qué crees que es un buen momento para terminar el capítulo?

_____

_____

_____

Tras atravesar callejones, escaleras y corredores, Holmes, Watson, el inspector Jones y el señor Cooper llegan a un cuarto grande. ¿Qué inferencia puedes hacer acerca de ese cuarto? Subraya las pistas que te llevaron a esa inferencia.

_____

_____

_____

ILUSTRACIONES ¿Qué muestra la imagen de la página acerca del lugar en el que se desarrolla esta parte del cuento? ¿Qué tono o sensación genera la imagen?

_____

_____

_____

Capítulo 3

25   Llegué a la calle Baker a las 10:00. Holmes estaba hablando con el agente de policía local, el inspector Jones. Había otro hombre que yo no conocía.

—Watson —dijo Holmes—. Él es el señor Cooper. Dirige el banco que está junto a la librería de Nelson. Pero basta ya de hablar. Tenemos poco tiempo. Creo que sé quién está detrás de esta Liga de Pelirrojos. Creo que esta noche podremos evitar que cometan un delito en el banco de Cooper.

Salimos y al poco tiempo estuvimos cerca de la librería de Nelson. Corrimos por callejones oscuros. Cooper nos abrió una puerta. Nos llevó por muchas escaleras y corredores, hasta que llegamos a un cuarto grande. Holmes nos pidió que no hiciéramos ningún ruido. Apagamos las linternas y esperamos en la oscuridad.

Durante una hora, no pasó nada. De repente, un rayo de luz salió de un agujero que había en el suelo, seguido por una mano. La mano sacó algunos ladrillos del suelo. El agujero se hizo más grande. Luego, el encargado de Nelson salió del agujero, seguido de un hombre pelirrojo.

—¡Alto! —gritó el inspector Jones— ¡Están arrestados!

30　Los hombres se detuvieron. El inspector los esposó y se los llevó.

　　—¡Gracias, Holmes! ¡Gracias, Watson! —dijo Cooper—. ¡Detuvieron a los ladrones! ¿Cómo puedo recompensarlos?

　　—Hace años persigo a ese criminal, John Clay —dijo Holmes—. Haberlo atrapado es recompensa suficiente.

　　De vuelta en la casa de la calle Baker, rogué a Holmes que me explicara. ¿Cómo sabía que esa noche tratarían de entrar al banco para robar?

　　—Es bastante sencillo —comenzó—. Yo sabía que esta Liga de los Pelirrojos era falsa. Alguien quería que Nelson saliera de su tienda todos los días. Hicieron el aviso para él y para nadie más. Pero, ¿por qué? Al negocio de Nelson no le iba bien. No había mucho para robar ahí.

35　—Es verdad —dije.

　　Este nuevo encargado estaba dispuesto a trabajar por muy poco dinero. Eso era extraño. Además, pasaba demasiado tiempo en el sótano. ¿Por qué? —continuó Holmes—. Cuando visitamos la librería de Nelson, vi que estaba junto al banco. Y dentro de la tienda, vi a John Clay. Lo reconocería en cualquier parte. Tenía los pantalones muy gastados en las rodillas, como si hubiese pasado mucho tiempo arrodillado. En ese momento lo supe. Clay estaba haciendo un túnel para entrar al banco. Y el otro ladrón que atrapamos con él era pelirrojo. Seguramente por él se le ocurrió la idea para la Liga.

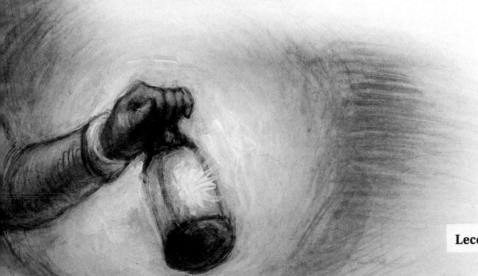

DIÁLOGO ¿Cómo se siente el señor Cooper luego de que los ladrones son atrapados? ¿Cómo puedes saberlo, teniendo en cuenta lo que dice?

_____

_____

_____

COMPARAR ESCENARIOS
En "La aventura de los tres estudiantes" hay cuatro escenarios. Tres de ellos están en el mismo edificio de la universidad, y el otro es una posada. ¿Cuántos escenarios hay en "La aventura de la Liga de los Pelirrojos"? Nómbralos.

_____

_____

_____

COMPARAR TRAMAS
Tanto este relato como "La aventura de los tres estudiantes" son cuentos de misterio. ¿En qué se diferencian los puntos de inflexión y los desenlaces de estos cuentos?

_____

_____

_____

COMPARAR TEMAS Un tema es un mensaje o verdad acerca de la vida. Uno de los temas de "La aventura de los tres estudiantes" podría ser: "Los que hacen trampa nunca ganan". Otro tema podría ser: "A veces, la vida te da una segunda oportunidad". ¿Cuál es el tema de este relato? ¿En qué se parece y en qué se diferencia de los temas del primer relato?

_____

_____

_____

HACER Y RESPONDER PREGUNTAS Recuerda la pregunta que te hiciste al principio del relato. ¿Ya tienes la respuesta? Escríbela aquí.

_____

_____

_____

—Pero, ¿cómo sabía que el robo sería esta noche?

—Es sábado, Watson. El banco cierra mañana. Nadie habría descubierto el robo antes del lunes, y los ladrones habrían usado ese tiempo para escapar.

—Sencillamente sorprendente, Holmes —dije.

40 —Elemental, mi querido Watson —dijo Sherlock Holmes.

Preguntas para comentar y afianzar los estándares

Comenta las siguientes preguntas con tus compañeros. Luego, anota las respuestas en los espacios en blanco.

1. ¿Qué piensa el Dr. Watson de su amigo Sherlock Holmes? ¿Tu opinión de Holmes es igual que la que tiene Watson? Explica por qué. Respalda tu respuesta con detalles del texto.

_____

_____

_____

_____

_____

2. ¿Qué misterio fue más fácil de resolver para Holmes? ¿"La aventura de la Liga de los Pelirrojos" o "La aventura de los tres estudiantes"? Respalda tu respuesta con detalles de los textos.

_____

_____

_____

_____

_____

Comprobar la comprensión

1. Holmes le dice al señor Nelson que no ha sido víctima de ningún delito. ¿Por qué quiere Nelson que Holmes resuelva el misterio?

_____

_____

_____

2. En realidad, la Liga de los Pelirrojos no heredó ninguna fortuna. ¿Por qué estaban dispuestos a pagarle tanto dinero por tan poco trabajo a Nelson?

_____

_____

_____

3. ¿Quién es mejor resolviendo misterios? ¿El Dr. Watson o Sherlock Holmes? ¿Cómo lo sabes?

_____

_____

_____

Leer por tu cuenta

Lee por tu cuenta otro cuento, "El caso de la carta robada". Ten en cuenta lo que aprendiste en esta lección y comprueba tu comprensión.

Escribir relatos de ficción

No hay nada que supere la emoción de ir al cine. Las películas cuentan historias a través de imágenes. A menudo, se trata de historias inventadas por el escritor de la película. Ahora, piensa en inventar una historia con palabras escritas. ¿Quién sería la "estrella" de tu historia? ¿Qué sucedería? Las historias inventadas se llaman relatos de ficción.

PREGUNTA ESENCIAL

¿Qué hace interesante a un relato de ficción?

¿Qué es un relato de ficción?

Piensa en tu cuento favorito. ¿Trata sobre personas, animales u otras criaturas? ¿El relato podría suceder en la vida real o solo en un lugar imaginario? Todas estas son distintas variantes de los relatos de ficción.

Los **relatos de ficción** son historias inventadas. Observa diferentes maneras de escribir un relato de ficción interesante.

Principio
Presenta los personajes y la situación.

Desarrollo
Cuenta en orden los sucesos del relato de ficción. Usa diálogos para que el relato sea más interesante y realista. Agrega descripciones para que el lector se imagine lo que sucede. Incluye un conflicto, o problema, que el personaje principal deba resolver.

Final
En los buenos finales, el problema se resuelve y el relato tiene un cierre. Esos finales son satisfactorios.

Observemos un relato de ficción.

Analizar un texto modelo

El siguiente es un ejemplo de un relato de ficción de un estudiante de tercer grado. Léelo y, luego, completa las actividades de los recuadros junto con tus compañeros.

Un cambio de parecer

Lucas estaba tan entusiasmado, que apenas podía terminar de atarse los cordones de los zapatos. Su hermana mayor, Marie, lo iba a llevar a la feria del pueblo. Allí habría atracciones, palomitas y algodón de azúcar. También habría ovejas, gansos y pollos. No veía la hora de ir. Salió corriendo de su habitación. Luego, se detuvo al escuchar a su hermana hablando con sus amigas Holly y Geeta en el piso de abajo.

—Vamos, Marie —dijo Geeta—. No lo lleves.

—No queremos que nos acompañe un niño de ocho años, ¿no? —agregó Holly.

—Sinceramente, no. Pero le prometí que lo llevaría —dijo Marie.

—Llévalo otro día. La feria estará aquí todo un mes —dijo Holly.

—Supongo que tienes razón —dijo Marie.

PRINCIPIO El escritor atrae el interés del lector describiendo los sentimientos de Lucas. Además, presenta los personajes principales y la situación. Encierra en un círculo el nombre de cada uno de los personajes principales.

DESARROLLO El escritor incluye diálogos para que el relato sea más convincente y realista. Subraya todos los diálogos de la página.

DESARROLLO El escritor usa descripciones para darle vida al relato. Dibuja una estrella al lado de los párrafos que tienen descripciones.

FINAL El escritor termina con un buen final que es satisfactorio para el lector y le da un cierre al relato. Encierra en un círculo las oraciones que crean un buen final para el relato.

A Lucas se le estrujó el corazón. Su hermana planeaba dejarlo en casa. Se perdería las atracciones, los gansos, las ovejas y los pollos. Se quedó allí de pie unos segundos y, luego, con la cabeza gacha, regresó a su habitación. Se dejó caer en la cama y escondió la cara en las almohadas. Un minuto después, su hermana entró y se sentó a su lado.

—Mejor ve sin mí —dijo Lucas—. No me siento bien.

Marie escudriñó a Lucas. Al verlo tan de cerca, notó el dolor en su mirada. De repente, se dio cuenta de que Lucas había oído todo. Le acarició el pelo con dulzura.

—Lo siento, Lucas. Realmente me divierto contigo. Por favor, discúlpame. Me encantaría llevarte a la feria. Mis amigas también pueden acompañarnos.

Lucas se sentó, otra vez entusiasmado.

—¿En serio?

—En serio.

Marie le dio un abrazo de oso.

—¿A qué atracción quieres ir primero?

Piensa ▶ ¿Qué parte del relato te gustó más?

¿Te pareció interesante el relato? ¿Por qué?

Estudio del vocabulario: Claves del contexto

El **contexto** de una palabra son las palabras que la rodean. Al leer, puede que encuentres palabras que no conoces. Si lees las palabras que están antes y después de la palabra desconocida, tal vez descubras su significado. Las claves del contexto son palabras que te ayudan a ampliar tu vocabulario.

Por ejemplo, lee la siguiente oración.

> Susan se sintió decepcionada cuando no la eligieron para actuar en la obra de la escuela.

Usa las claves del contexto para definir la palabra *decepcionada*. Luego, verifica el significado de la palabra en un diccionario.

Vuelve a leer el relato de ficción "Un cambio de parecer" de las páginas 39–40. Halla las palabras que aparecen en la siguiente tabla. Busca claves del contexto en el relato para cada una de las palabras y completa la tabla. Usa un diccionario para verificar el significado. Luego, escribe una oración para cada palabra o haz un dibujo que transmita su significado.

Palabra	estrujó	escudriñó
Significado		
Claves del contexto		
Oración o dibujo		

Proceso de escritura

Ya has leído y observado un relato de ficción. Ahora crearás tu propio relato siguiendo estos pasos del proceso de escritura.

1. Prepararse: Hacer una lluvia de ideas ¿Quieres escribir sobre cosas que podrían suceder o inventar un mundo de fantasía? Menciona varios lugares donde podría desarrollarse tu relato. Elige el que más te guste.

2. Organizar Usa un organizador gráfico para planear y anotar el principio, el desarrollo y el final de tu relato de ficción.

3. Hacer un borrador Escribe el primer borrador de tu relato de ficción. No te preocupes por los errores. Solo anota tus ideas.

4. Comentar en parejas Trabaja con un compañero para evaluar y mejorar tu borrador.

5. Revisar Usa las sugerencias de tu compañero para revisar tu trabajo.

6. Editar Revisa tu trabajo con atención para eliminar los errores de ortografía, puntuación y gramática.

7. Publicar Escribe la versión final de tu relato de ficción.

Trabajo de escritura

En esta lección, escribirás tu propio relato de ficción. A medida que escribes el relato, recuerda los elementos del texto modelo que fueron más interesantes. Lee la siguiente instrucción:

Escribe un relato acerca de una discusión entre dos hermanos. Explica de qué se trata la discusión y cómo se originó. Cuenta cómo se resuelve la discusión con un buen final que resulte satisfactorio para el lector y le dé un cierre al relato. Tu relato debe tener de tres a cinco párrafos de largo.

1. Prepararse: Hacer una lluvia de ideas

El primer paso para escribir un relato de ficción es elegir los personajes y la situación. Responde a las siguientes preguntas: ¿Quiénes son los personajes principales? ¿Cómo son? ¿Qué hacen o harán?

El autor del relato modelo hizo la siguiente lluvia de ideas para decidir los personajes y la situación.

Personajes	Situación
¿Quiénes son? Lucas y Marie, hermanos	**¿Qué hacen o harán los personajes?** Se preparan para ir a la feria del pueblo.
¿Cómo son? Lucas es un niño normal de ocho años. Marie es una hermana mayor bondadosa.	

¡Inténtalo! Usa un organizador gráfico

Ahora usa la siguiente tabla para hacer una lluvia de ideas acerca de los personajes y la situación para tu relato de ficción.

Personajes	Situación
¿Quiénes son? _____ _____	**¿Qué hacen o harán los personajes?** _____ _____
¿Cómo son? _____ _____	

Hacer una lluvia de ideas acerca de detalles para los personajes

Es importante inventar la personalidad de los personajes. Puedes usar un organizador gráfico para describir con más detalle a cada uno de los personajes. El autor del relato modelo completó el siguiente organizador gráfico.

PERSONAJES
Cuanto más se sepa de los personajes, más interesantes serán para el lector.

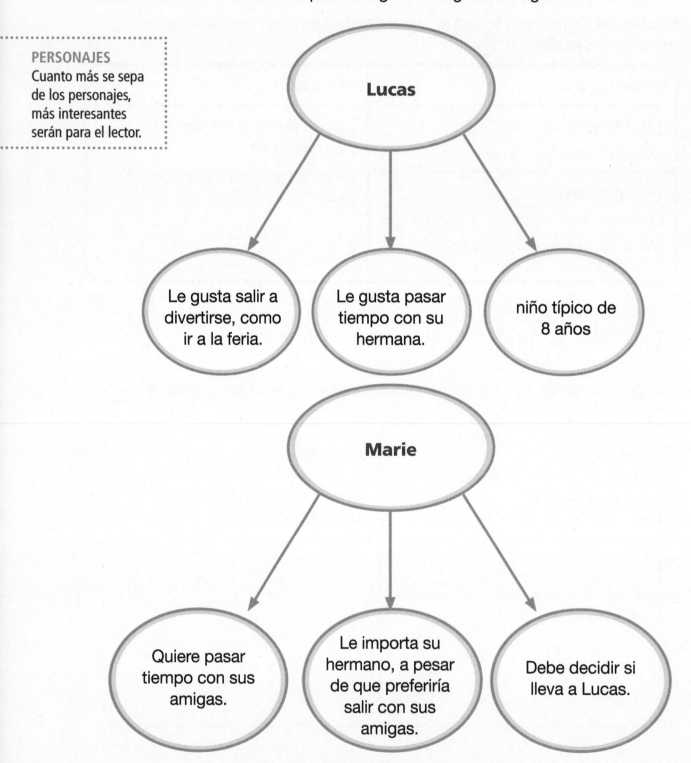

Lucas

Le gusta salir a divertirse, como ir a la feria.

Le gusta pasar tiempo con su hermana.

niño típico de 8 años

Marie

Quiere pasar tiempo con sus amigas.

Le importa su hermano, a pesar de que preferiría salir con sus amigas.

Debe decidir si lleva a Lucas.

¡Inténtalo!

Usa un organizador gráfico para la lluvia de ideas

Ahora, usa el siguiente organizador gráfico para hacer una lluvia de ideas acerca de los personajes de tu relato de ficción. Si es necesario, agrega más círculos.

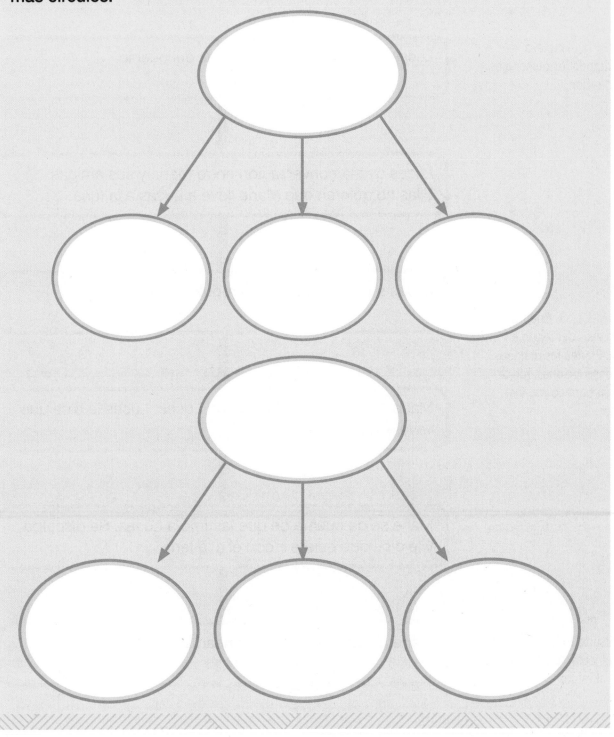

2. Organizar

Ya casi estás listo para empezar a hacer el borrador de tu relato de ficción. Puedes usar una tabla de secuencia para ubicar a tus personajes en la situación y decidir qué les sucederá. Podrás consultarla mientras trabajas en las diferentes partes del borrador. El autor del texto modelo completó la siguiente tabla.

PRINCIPIO Empieza presentando los personajes y la situación.

> Lucas se prepara para ir a la feria del pueblo.

> Lucas oye la conversación entre Marie y sus amigas. Ellas no quieren que Marie lleve a Lucas a la feria.

> Lucas se siente muy mal y regresa a su habitación.

DESARROLLO Cuenta los sucesos del relato en orden. Planea los diálogos y las descripciones que te servirán para contar los sucesos.

> Marie entra en la habitación de Lucas. Lucas le dice que vaya a la feria sin él.

> Marie se da cuenta de que lastimó a Lucas. Se disculpa y le dice que quiere ir con él a la feria.

FINAL Piensa en un final que resulte satisfactorio para el lector y le dé un cierre al relato.

> Marie abraza a Lucas, y planean ir juntos a la feria.

¡Inténtalo!

Organiza tu relato de ficción

Ahora, usa la siguiente tabla de secuencia para organizar los sucesos de tu borrador del relato.

3. Hacer un borrador

Llegó el momento de empezar el primer borrador de tu relato de ficción. Recuerda que no es necesario que el borrador sea perfecto. Ahora puedes usar tus notas, escribir tus ideas de manera organizada y divertirte. Más tarde tendrás tiempo de revisar lo que escribes. Empieza el borrador de tu relato en una computadora o en una hoja de papel aparte. ¡Da vida a tus personajes!

Técnica del escritor: Escribir un final satisfactorio

Cuando escribes un relato de ficción, debes terminarlo de manera de darle un cierre y satisfacer al lector. Por ejemplo, si los personajes se enfrentan a un problema, ese problema debería resolverse en el final del relato.

Un relato de ficción puede terminar con un diálogo o una descripción. De cualquier manera, asegúrate de que el final le dé un buen cierre a los sucesos del relato.

En los párrafos 11–15 del texto modelo, el autor usa diálogos y descripciones para darle un cierre al relato.

DESCRIPCIÓN
Lee los párrafos 11–15 del texto modelo. Encierra en un círculo las descripciones. Comenta con un compañero la utilidad de las descripciones para crear un buen final.

Lucas se sentó, otra vez entusiasmado.

—¿En serio?

—En serio.

Marie le dio un abrazo de oso.

—¿A qué atracción quieres ir primero?

DIÁLOGO
Subraya los diálogos de estos párrafos. Comenta con un compañero la utilidad de los diálogos para crear un final satisfactorio.

¡Inténtalo!

Escribe tu primer borrador

En una computadora o en una hoja de papel aparte, continúa el borrador de tu relato de ficción. Recuerda usar descripciones para que el lector pueda imaginarse lo que sucede. Incluye diálogos para que el relato sea más convincente y realista. Mientras escribes, ten en cuenta esta lista de control para hacer borradores.

✓ Un buen principio atrae la atención del lector. Puedes empezar con una descripción o un diálogo.

✓ Presenta a los personajes al principio del relato y describe la situación.

✓ Escribe los sucesos en orden en el desarrollo del relato.

✓ Escribe un buen final que resulte satisfactorio para el lector.

✓ Incluye diálogos y descripciones para darle vida al relato y que sea más interesante.

Sugerencias para escribir el primer borrador

- Escribe las frases clave y los fragmentos de diálogo antes de empezar el texto. A veces, es una muy buena preparación.

- Piensa en una situación difícil que hayas vivido. Pero recuerda: en tu relato, ¡puede suceder *cualquier cosa*!

- A veces, a los escritores se les ocurren mejores ideas cuando realizan otras tareas. Si no sabes cómo seguir, prueba ordenar tu habitación.

4. Comentar en parejas

Cuando termines tu borrador, trabajarás con un compañero para intercambiar y revisar sus trabajos. El siguiente es un borrador del texto modelo. Trabaja con tu compañero para leerlo y responder a las preguntas de los recuadros. Luego, veremos cómo el compañero del escritor evaluó el borrador.

Borrador inicial

> ## Un cambio de parecer
>
> Lucas estaba tan entusiasmado que apenas podía terminar de atarse los cordones de los zapatos. Marie lo iba a llevar a la feria del pueblo. Allí habría atracciones, palomitas y algodón de azúcar. También habría ovejas, gansos y pollos. No veía la hora de ir. Salió corriendo de su habitación. Luego, se detuvo al escuchar a Marie hablando con sus amigas Holly y Geeta en el piso de abajo.
>
> Geeta le dijo a Marie que era mejor dejar a Lucas en casa. Holly estuvo de acuerdo con Geeta. Sugirió que Marie llevara a Lucas a la feria otro día. Marie parecía triste, pero estuvo de acuerdo con sus amigas.
>
> A Lucas se le estrujó el corazón. Su hermana lo dejaría en casa.
>
> —Mejor ve sin mí —dijo Lucas—. No me siento bien.
>
> Marie escudriñó a Lucas. Le acarició el pelo.
>
> —Lo siento, Lucas. Realmente me divierto contigo. Por favor, discúlpame. Me encantaría llevarte a la feria. Mis amigas también pueden acompañarnos o no hacerlo.

PRINCIPIO En el borrador, el escritor no aclara quién es Marie al presentarla. ¿Qué cambios aclararían quién es Marie?

DESARROLLO En el párrafo 2, se podrían usar diálogos, en vez de una descripción, para darle vida a la escena. ¿Qué diálogos incluirías?

FINAL En la conclusión, no se sabe si Lucas acepta las disculpas de Marie. ¿Qué cambios le harías al final para que fuera más satisfactorio?

Ejemplo de ficha para comentar en parejas

La siguiente ficha muestra cómo un compañero evaluó el borrador del texto modelo que se encuentra en la página anterior.

El relato incluye un principio, un desarrollo y un final sólidos.	Hiciste un buen trabajo al presentar a Lucas en el principio.
El principio presenta a los personajes y la situación.	Podrías mejorar tu borrador si aclararas quién es Marie.

En el desarrollo, el escritor cuenta los sucesos en orden.	Hiciste un buen trabajo al describir la reacción de Lucas a la conversación de las niñas.
	Podrías mejorar tu borrador si dijeras qué sucede luego de que Lucas escucha la conversación y antes de que le diga a Marie que vaya a la feria sin él.

El escritor incluye diálogos para que el relato sea más convincente y realista.	Hiciste un buen trabajo al incluir diálogos para representar la conversación entre Lucas y Marie.
El escritor incluye descripciones para que los lectores puedan imaginarse los sucesos.	Podrías mejorar tu borrador si explicaras por qué Marie cambia de parecer.

El escritor escribe un final satisfactorio para el lector y le da un cierre al relato.	Hiciste un buen trabajo al explicar que Marie se siente mal por haber lastimado a Lucas.
	Podrías mejorar tu borrador si contaras qué sucede luego. ¿Lucas acepta las disculpas de Marie? Después de todo, ¿van a la feria?

¡Inténtalo!

Comenta en pareja

Ahora, trabajarás con un compañero para intercambiar y revisar los borradores usando la siguiente ficha. Si necesitan ayuda, vuelvan a mirar la ficha del escritor del texto modelo en busca de sugerencias.

El relato incluye un principio, un desarrollo y un final sólidos. **El principio presenta a los personajes y la situación.**	Hiciste un buen trabajo al Podrías mejorar tu borrador si
En el desarrollo, el escritor cuenta los sucesos en orden.	Hiciste un buen trabajo al Podrías mejorar tu borrador si
El escritor incluye diálogos para que el relato sea más convincente y realista. **El escritor incluye descripciones para que los lectores puedan imaginarse los sucesos.**	Hiciste un buen trabajo al Podrías mejorar tu borrador si
El escritor escribe un final satisfactorio para el lector y le da un cierre al relato.	Hiciste un buen trabajo al Podrías mejorar tu borrador si

¡Inténtalo!

Anota los comentarios clave

Llegó el momento de que tú y tu compañero comenten sus trabajos. Escucha los comentarios de tu compañero y anota los más importantes en la columna de la izquierda. Luego, escribe algunas ideas para mejorar tu borrador en la columna derecha.

Según los comentarios de mi compañero, el principio	Voy a
Según los comentarios de mi compañero, los personajes	Voy a
Según los comentarios de mi compañero, la situación	Voy a
Según los comentarios de mi compañero, el desarrollo	Voy a
Según los comentarios de mi compañero, el final	Voy a

Usa el siguiente espacio en blanco para escribir algo más que encuentres en tu borrador que puedes mejorar.

5. Revisar

En este paso del proceso de escritura, trabajarás en las partes de tu borrador que debes mejorar. Usa como ayuda la ficha que completó tu compañero. Además, usa tus propias ideas para mejorar cada parte de tu relato de ficción. La siguiente lista de control incluye algunos puntos que debes considerar cuando te prepares para hacer la revisión.

Lista de control para la revisión

✓ ¿Presento bien a los personajes y la situación en el principio? ¿Expreso el problema con claridad?

✓ ¿Cuento los sucesos en orden en el desarrollo?

✓ ¿El final es satisfactorio y le da un cierre al relato?

✓ ¿Incluyo diálogos para que el relato sea más convincente y realista? ¿Incluyo descripciones para que el lector pueda imaginarse los sucesos?

✓ ¿Uso palabras o frases que indiquen el paso del tiempo para contar los sucesos en orden?

PALABRAS Y FRASES TEMPORALES

El lenguaje que indica el paso del tiempo ayuda a contar los sucesos en orden. Subraya las palabras que indiquen el paso del tiempo en el siguiente fragmento. ¿Qué otras palabras podría haber usado el escritor para indicar el paso del tiempo?

_____

_____

Técnica del escritor: Usar palabras o frases temporales para contar los sucesos en orden

Usar palabras o frases que indiquen el paso del tiempo ayuda a contar los sucesos de tu relato de ficción en orden. Por ejemplo, cuando usas *primero* y *luego*, le indicas al lector lo que sucedió primero y lo que sucedió después de eso. Frases como *luego del almuerzo* y *en un momento* también indican el paso del tiempo y el orden de los sucesos. Ahora, busca ejemplos de lenguaje que indiquen el paso del tiempo en el texto modelo.

A Lucas se le estrujó el corazón. Su hermana planeaba dejarlo en casa. Se perdería las atracciones, los gansos, las ovejas y los pollos. Se quedó allí de pie unos segundos y, luego, con la cabeza gacha, regresó a su habitación. Se dejó caer en la cama y escondió la cara en las almohadas. Un minuto después, su hermana entró y se sentó a su lado.

¡Inténtalo!   Revisa tu relato de ficción

Una parte importante de la revisión consiste en contar los sucesos en orden. Practica el uso de palabras que indiquen el paso del tiempo con el siguiente párrafo. Lee cada oración. En las líneas que se encuentran debajo del párrafo, escribe las palabras que agregarías para indicar el paso del tiempo.

Me encanta prepararme para las vacaciones familiares. _____, investigo qué cosas veré con ayuda de la computadora. _____, hago una lista de la ropa que necesitaré. _____, lleno la mochila con libros y otras cosas que quiero llevar al viaje.

Segunda oración: _____

Tercera oración: _____

Cuarta oración: _____

Trabajo de escritura

Llegó el momento de revisar el borrador de tu relato de ficción. Continúa trabajando en una computadora o en una hoja de papel aparte. Verifica la instrucción y la lista de control para saber si has incluido todo lo que necesitabas.

Escribe un relato acerca de una discusión entre dos hermanos. Explica de qué se trata la discusión y cómo se originó. Cuenta cómo se resuelve la discusión con un buen final que resulte satisfactorio para el lector y le dé un cierre al relato. Tu relato debe tener de tres a cinco párrafos de largo.

6. Editar

Luego de revisar tu relato de ficción, debes editarlo. Cuando editas, lees con atención para detectar todos los errores que pueda haber en el texto. Esta lista de control indica algunos puntos que debes verificar cuando editas.

> **Lista de control para la edición**
>
> ✔ ¿Dejaste sangría en todos los párrafos?
>
> ✔ ¿Todas las oraciones están completas?
>
> ✔ ¿Empezaste todas las oraciones con mayúscula?
>
> ✔ ¿Todas las oraciones tienen la puntuación adecuada?
>
> ✔ ¿Usaste bien las comas?
>
> ✔ ¿Todas las palabras están bien escritas?

Puedes usar estos signos de corrección para marcar todos los errores que encuentres.

⌃ Agregar	⊙ Punto	⌃ Agregar una coma
≡ Cambiar una minúscula a una mayúscula		

Esta parte del borrador del texto modelo muestra cómo usar los signos de corrección.

Lucas estaba tan entusiasmado, que apenas podía terminar de atarse los cordones de los zapatos. marie lo iba a llevar a la feria del pueblo. Allí habría atracciones palomitas y algodón de azúcar. También habría ovejas, gansos y pollos. No veía la hora de ir. Salió corriendo de su habitación luego, se detuvo al escuchar a Marie hablando con sus amigas holly y Geeta en el piso de abajo.

Enfoque en el lenguaje: Usar sustantivos y verbos

Los sustantivos nombran una persona, lugar, cosa o idea. Para formar un sustantivo que nombre más de una persona, lugar, cosa o idea, debemos modificar la terminación de la palabra.

Si la palabra termina en una vocal, agregamos –s.

Ejemplos: gato, gatos   hombre, hombres

Luego de una consonante, agregamos –es.

Ejemplos: mujer, mujeres   piel, pieles

Si la consonante es z, además debemos reemplazar la z por c y agregar -es.

Ejemplos: lápiz, lápices   maíz, maíces

Los verbos son palabras de acción. Expresan lo que alguien es o hace. El verbo cambia según el momento en que sucede la acción, por ejemplo, en el presente o en el pasado.

Ejemplos: él quiere, él quería   ella acaricia, ella acarició
él desea, él deseaba

Además, debe haber concordancia entre el sujeto y el verbo. El verbo cambia según el sustantivo.

Ejemplos:

Jane va al parque en bicicleta todos los sábados.

Alex y Nina van a la escuela en bicicleta.

A Lucas se le estrujó el corazón. Su hermana planeaba dejarlo en casa. Se perdería las atracciones, los gansos, las ovejas y los pollos. Se quedó allí de pie unos segundos y, luego, con la cabeza gacha, regresó a su habitación. Se dejó caer en la cama y escondió la cara en las almohadas. Un minuto después, su hermana entró y se sentó a su lado.

SUSTANTIVOS Y VERBOS
Lee estas oraciones del texto modelo. Subraya seis verbos. Dibuja una estrella al lado de seis sustantivos que indiquen más de una cosa. Halla el sustantivo cuyo plural se formó agregando –es y enciérralo en un recuadro.

¡Inténtalo!   Practica la edición y el uso del lenguaje

Completa las oraciones con la forma correcta del sustantivo o el verbo.

1. Ayer, _____ un cuento acerca de una gansa tonta.
   (leí, leo)

2. La gansa _____ que podía poner huevos de oro.
   (pensaba, pensará)

3. El cuento que leímos _____ muy divertido. (era, será)

4. Vimos muchos _____ en la feria. (gansos, ganso)

5. Lucas quería ver las _____. (ovejas, ovejaes)

Ahora, usa signos de corrección para marcar los errores de concordancia entre sujeto y verbo en el siguiente párrafo.

Cuando Dashiell sale con su padre, ellos la pasa bien. Primero,

nada juntos en el lago. Luego, él atrapan todos los peces que puede.

Luego, uno de ellos cantan una canción, y el otro se le une. Termina el

día comiendo juntos en un autoservicio.

¡Inténtalo!

Edita tu relato de ficción

Ahora, edita tu relato de ficción. Usa la siguiente lista de control y los signos de corrección que aprendiste para corregir los errores que encuentres.

☐ ¿Dejaste sangría en todos los párrafos?

☐ ¿Todas las oraciones están completas?

☐ ¿Empezaste todas las oraciones con mayúscula?

☐ ¿Todas las oraciones tienen la puntuación adecuada?

☐ ¿Usaste bien las comas?

☐ ¿Todas las palabras están bien escritas?

☐ ¿Escribiste bien los sustantivos y los verbos? ¿Hay concordancia entre los sujetos y los verbos?

Sugerencias para la edición

- Lee el relato en voz alta para detectar si faltan palabras o hay oraciones extrañas. Pregúntate: "¿Suena bien?".

- Lee tu relato lentamente por lo menos dos veces. Cuando leemos en busca de errores, ¡una sola lectura no es suficiente!

- Deja el texto a un lado durante un momento antes de editarlo. Puede que luego te sea más fácil detectar los errores.

7. Publicar

En la computadora o en una hoja de papel aparte, crea un borrador final de tu relato de ficción que se lea con claridad. Corrige todos los errores que identificaste mientras editabas el borrador. Asegúrate de ponerle un título interesante.

El paso final es publicar tu relato. Puedes compartir tu trabajo de distintas maneras.

- Recopila los relatos de ficción de toda la clase en una antología.

- Con un grupo pequeño de compañeros, representa tu relato de ficción en un escenario, como si fuera una obra de teatro.

- Haz una lectura dramática de tu relato y grábala en un video.

- Ilustra tu relato de ficción con dibujos de los personajes y de los sucesos.

Sugerencias para el uso de tecnología

- Publica tu relato de ficción en el blog de tu clase o de la escuela.
- Escanea ilustraciones para tu relato de ficción y crea un cuadernillo impreso.

Leer textos históricos de no ficción

Observa esta imagen de personas que vienen a vivir en los Estados Unidos. ¿Por qué crees que es difícil mudarse a un nuevo país?

PREGUNTA ESENCIAL

¿Qué podemos aprender leyendo relatos sobre el pasado?

Considerar ▶ ¿Cómo eran los primeros días en un nuevo país para las personas que llegaban a los Estados Unidos?

¿Qué podemos aprender en la actualidad de las dificultades que enfrentaban las personas en el pasado?

TEXTOS HISTÓRICOS DE NO FICCIÓN Los relatos acerca de sucesos o personas reales del pasado son relatos históricos de no ficción. Son de no ficción porque todos los detalles son ciertos. Son históricos porque los sucesos ocurrieron en el pasado. ¿Sobre qué personas o sucesos reales trata este artículo histórico de no ficción?

CLAVES DEL CONTEXTO A menudo puedes descubrir el significado de una palabra que no conoces buscando pistas en las palabras que la rodean. Esas claves del contexto te ayudan a comprender la palabra que no conoces. Mira la primera oración del párrafo 1. ¿Qué clave del contexto puede ayudarte a descubrir el significado de *inmigrante*?

Ellis y Ángel: Islas de esperanza

Tierra de inmigrantes

1   Los Estados Unidos son un país con muchos inmigrantes. Algunas familias llegaron recientemente desde lugares lejanos. Otras familias se instalaron aquí hace mucho tiempo. A fines del siglo XIX y principios del siglo XX, millones de inmigrantes llegaron a los Estados Unidos. Muchos llegaron escapando de la pobreza y del hambre. Otros vinieron en busca de libertad y oportunidades.

Antes de empezar con sus nuevas vidas en los Estados Unidos, los inmigrantes debían pasar por estaciones de inmigración. En esas estaciones, los funcionarios hacían muchas preguntas a los inmigrantes y controlaban su salud. Los que pasaban la inspección podían ingresar al país. La Isla Ellis y la Isla del Ángel eran dos de las estaciones de inmigración más importantes. La Isla Ellis estaba cerca de la costa de Nueva York. La Isla del Ángel estaba en el otro extremo del país, cerca de San Francisco, California.

Poco tiempo después de que abrieran la estación de la Isla Ellis, comenzaron a llegar miles de inmigrantes por día.

La llegada a la Isla Ellis

A principios del siglo XX, todos los días llegaban barcos llenos de nuevos inmigrantes al puerto de Nueva York. Venían de Irlanda, Alemania, Italia, Polonia y otros países. La mayoría de los pasajeros ricos entraban a los Estados Unidos con facilidad. Si esos pasajeros podían pagar camarotes de calidad en los barcos, los funcionarios pensaban que tendrían dinero para sobrevivir en los Estados Unidos. Los pasajeros más pobres eran llevados a la Isla Ellis. A veces, la capacidad de la Isla Ellis se colmaba y no había espacio para más personas. Cuando eso ocurría, los nuevos inmigrantes pasaban días esperando a bordo de sus barcos.

Luego de llegar a la Isla Ellis, los inmigrantes debían responder a muchas preguntas. Los funcionarios querían saber de dónde venían. Preguntaban a los inmigrantes dónde pensaban vivir, en qué iban a trabajar, si sabían leer o escribir, si alguna vez habían estado en prisión. Los inmigrantes temían que si no respondían correctamente no los dejarían entrar en los Estados Unidos.

Los días en la Isla Ellis

5   La vida en la Isla Ellis podía ser bastante incómoda. En el salón donde los inmigrantes esperaban, el ruido era constante. Decenas de idiomas se mezclaban en un estruendo ensordecedor. Los inmigrantes pasaban horas sentados en largos bancos de madera. Hacían largas filas con cientos de personas, esperando para hablar con un funcionario.

> **IDEA PRINCIPAL Y DETALLES**
> El punto más importante de un texto se conoce como *idea principal*. A menudo se escribe al principio de un párrafo o artículo. Otros datos o ideas que ofrecen más información sobre la idea principal se conocen como *detalles de apoyo*. La idea principal de esta parte del artículo es "La vida en la Isla Ellis podía ser incómoda". ¿Qué detalles de apoyo puedes encontrar que ofrezcan más información sobre la idea principal?

Los médicos se aseguraban de que los inmigrantes estuvieran en buenas condiciones de salud antes de dejar la Isla Ellis. Las personas enfermas podían contagiar a otras y no podían trabajar.

HACER Y RESPONDER PREGUNTAS Si haces preguntas y buscas las respuestas mientras lees, puedes entender mejor un artículo. Vuelve a leer los párrafos 6 y 7. ¿Qué preguntas tienes acerca de cómo vivía la gente en la Isla Ellis después de leer estos párrafos? ¿De qué modo buscar respuestas a esas preguntas te ayudaría a comprender mejor el artículo?

Los médicos de la Isla Ellis verificaban que todos los inmigrantes estuvieran sanos. Algunos, que estaban enfermos, eran enviados al hospital de la isla. Tenían que recuperarse antes de poder entrar al país.

Muchos inmigrantes pasaban solo unas horas en la Isla Ellis. Otros pasaban semanas. Los inmigrantes comían en comedores con cientos de personas. Comían cosas que nunca habían visto antes, como plátanos. Dormían rodeados de extraños en literas, en salas repletas de gente. Las familias se separaban, y había salas para hombres y salas para mujeres.

Los inmigrantes podían cambiar su dinero por dólares estadounidenses en un banco de la Isla Ellis. Podían enviar cartas o telegramas y podían comprar boletos de tren para la siguiente parte de su viaje. Los niños podían usar el patio de recreo que había en la azotea del edificio.

Luego de unos días, la mayoría de los inmigrantes recibían una tarjeta de inmigración. La tarjeta era una identificación legal y un registro de que la persona ya podía ingresar al país. Sin embargo, aproximadamente uno de cada cincuenta inmigrantes no recibía permiso para ingresar. Esas personas eran enviadas de vuelta a sus países de origen.

10   En total, más de 12 millones de personas entraron al país a través de la Isla Ellis entre 1892 y 1954. Esa fue la primera experiencia que tuvieron en los Estados Unidos.

La Isla Ellis en la actualidad

El centro de inmigración de la Isla Ellis estuvo abierto hasta 1954. En 1965, la Isla Ellis pasó a ser parte del Monumento Nacional de la Estatua de la Libertad. Así, quedaría protegida para el futuro. En 1990, el edificio principal de la Isla Ellis abrió como museo. Los visitantes del museo pueden ver filmaciones acerca de la gente que inmigró pasando por la Isla Ellis. Las exhibiciones muestran pasaportes y maletas que los inmigrantes trajeron en el viaje. Aproximadamente dos millones de personas visitan este lugar histórico cada año. Allí aprenden acerca de los valientes que llegaron a los Estados Unidos sin más que la esperanza de construir una nueva vida.

PROPÓSITO DEL AUTOR
Los autores tienen distintas razones para escribir. A veces, la razón o el propósito del autor es compartir información o informar al lector. En otras oportunidades, el autor puede querer que el lector se ría o que esté de acuerdo con su opinión. ¿Cuál es el propósito del autor en este artículo: informar, entretener o cambiar una opinión?

Los visitantes tienen que tomar un ferry para visitar el Museo de la Inmigración de la Isla Ellis.

COMPARAR Y CONTRASTAR
Cuando comparas dos cosas, buscas en qué se parecen. Cuando las contrastas, buscas en qué se diferencian. ¿Cuánto tenían que esperar los inmigrantes en la Isla Ellis? ¿Cuánto tenían que esperar en la Isla del Ángel?

CARACTERÍSTICAS DEL TEXTO
El título nos dice qué tema se trata en todo el artículo. Los encabezados de cada sección del texto indican qué tema se trata en cada sección. Mira los dos encabezados de esta página. ¿Son las dos secciones acerca de la misma estación de inmigración?

Centro de inmigración de la Isla del Ángel

En 1910 se creó otro centro de inmigración en los Estados Unidos. Estaba en la Isla del Ángel, en la Bahía de San Francisco. Para algunas personas era "la Isla Ellis del Oeste".

Debido a unas leyes aprobadas en la década de 1880, era más difícil entrar a los Estados Unidos desde China que desde otros países. Muchas de las personas que llegaban a la Isla del Ángel eran inmigrantes chinos. La mayoría pasaba en la isla entre dos y tres semanas. Otros pasaban meses o incluso años. Mientras estaban en la Isla del Ángel, no tenían cómo comunicarse con sus familiares o amigos fuera de la isla. Muchos temían que nunca los dejaran ingresar a los Estados Unidos.

La vida en la Isla del Ángel

Las condiciones en la Isla del Ángel eran más duras que en la Isla Ellis. Los inmigrantes vivían en salas repletas de gente y dormían en catres de metal. A menudo, solo recibían un potaje de arroz aguado para comer. El área estaba rodeada por altas cercas de metal con alambre de púas. Los días pasaban lentamente. Los inmigrantes jugaban a las cartas o al mah-jong, un juego inventado en China, para pasar el tiempo.

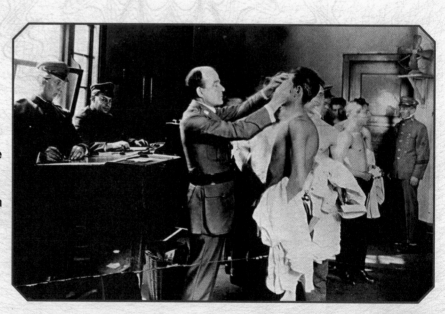

Cientos de miles de inmigrantes, principalmente provenientes de China, eran revisados en la Isla del Ángel.

15   Al igual que en el caso de los inmigrantes de la Isla Ellis, a los de la Isla del Ángel les hacían muchas preguntas. Eso podía resultar muy confuso. Los funcionarios que hablaban chino a menudo hablaban una variedad del idioma que los inmigrantes no conocían. Los funcionarios hacían preguntas difíciles. Querían determinar si ciertos inmigrantes eran en realidad parientes de ciudadanos estadounidenses, como decían. Los funcionarios podían hacer preguntas acerca de los ancestros y la aldea de origen de un inmigrante. Podían preguntar cuántos escalones había bajo la puerta trasera de la casa de una familia. Hasta podían preguntar dónde se sentaba un inmigrante en la escuela de su aldea. También hablaban con testigos de los inmigrantes para verificar si lo que contaban era cierto. Eso podía llevar mucho tiempo, en especial si los testigos vivían en otros estados.

A menudo, los funcionarios no confiaban en los relatos de los inmigrantes. Querían asegurarse de que lo que decían los inmigrantes coincidía con lo que decían sus familias. Por un error pequeño, algunos inmigrantes eran enviados de vuelta a sus países de origen. En total, a uno de cada cuatro inmigrantes chinos no le permitían ingresar a los Estados Unidos.

La Isla del Ángel en la actualidad

Entre 1910 y 1940, más de 250 mil inmigrantes pasaron por la Isla del Ángel. Actualmente, la isla es un parque estatal. En la vieja estación de inmigración funciona un museo. Allí, los visitantes leen los poemas que los inmigrantes escribieron en las paredes y aprenden sobre las historias de los inmigrantes asiáticos de los Estados Unidos.

Tras muchos años de abandono, los edificios de la Isla del Ángel comenzaron a restaurarse en 1976. El Parque Estatal de la Isla del Ángel se convirtió en una atracción turística.

> **COMPARAR Y CONTRASTAR**
> Los inmigrantes de la Isla Ellis debían responder a preguntas acerca del trabajo que harían y debían decir si sabían leer o escribir. ¿En qué se diferencian las preguntas que debían responder los inmigrantes de la Isla del Ángel? ¿En qué se parecen?

Comprobar la comprensión

Vuelve a leer "Ellis y Ángel: Islas de esperanza". ¿En qué se diferenciaban la Isla Ellis y la Isla del Ángel? ¿En qué se parecían? Usa el siguiente diagrama de Venn para anotar tus ideas. En el centro, escribe qué tenían en común los dos lugares. A los lados, escribe los detalles que diferencian a las dos estaciones de inmigración.

Isla Ellis

ubicada en el

Puerto de Nueva

York

Los dos lugares

lugar de ingreso a

los Estados Unidos

Isla del Ángel

Vocabulario

Usa el siguiente mapa de palabras para definir y usar una de las palabras de vocabulario resaltadas de la lectura "Compartir y aprender" u otra palabra que te indique tu maestro.

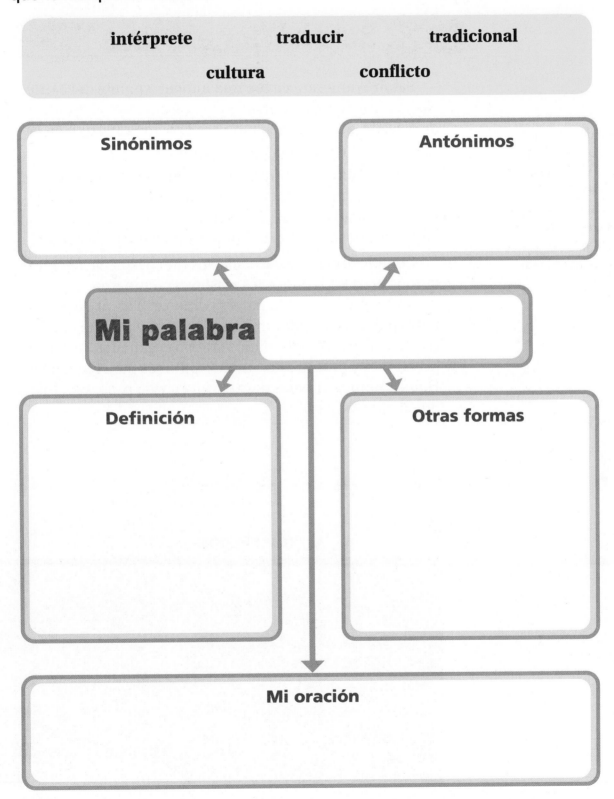

intérprete   traducir   tradicional

cultura   conflicto

Sinónimos

Antónimos

Mi palabra

Definición

Otras formas

Mi oración

Considerar ▶ ¿Qué desafíos enfrentaron los indígenas norteamericanos cuando otros pueblos llegaron a los Estados Unidos?

¿Cómo respondieron a esos desafíos los indígenas norteamericanos?

Sarah Winnemucca

CONEXIONES LÓGICAS

Mira los párrafos 2 y 3. Encierra en un círculo las oraciones que describen cómo era la vida antes de la llegada de los colonos. Encierra en un recuadro las oraciones que describen cómo era la vida después de la llegada de los colonos.

1   Sarah Winnemucca fue una indígena paiute del Norte. Nació en la década de 1840 en lo que ahora es el estado de Nevada. Su nombre paiute era Thocmetony, que en el idioma paiute significa "flor chelone".

Cuando Thocmetony era joven, su familia viajaba de lugar en lugar en busca de alimento. Pescaban, cazaban y recolectaban piñones. No siempre era fácil conseguir alimentos en la zona, pero tenían suficiente para comer.

Cuando Thocmetony nació, los únicos que vivían en la zona eran los paiute y los washo. Sin embargo, al poco tiempo, el estilo de vida paiute comenzó a cambiar. En la tierra paiute se asentaron unas personas a las que nadie conocía. Esos colonos blancos trajeron ganado. Cortaron los árboles y pronto hubo menos piñones para recolectar. Había menos animales para cazar. La vida pasó a ser más difícil para los paiute.

Los paiute vivieron en el oeste de Nevada muchos años antes de que llegaran los colonos.

Muchos paiute querían luchar. Querían expulsar a los extraños de sus tierras. El abuelo de Thocmetony, Truckee, tuvo una idea diferente. Creía que los extraños eran hermanos de los paiute. Creía que los paiute no sobrevivirían si no aprendían a vivir con los colonos blancos.

5   Thocmetony tenía miedo de los extraños blancos. En 1850, cuando tenía seis años, Truckee decidió llevarla a California. Quería que conociera a esas personas y que viera cómo vivían. En California conoció a mucha gente buena y aprendió a tenerles menos miedo.

Truckee quería que sus nietos aprendieran cómo vivían otras personas. Thocmetony comenzó a aprender inglés y recibió el nombre de Sarah.

Cuando Sarah tenía trece años, ella y su hermana Elma fueron a vivir con una familia blanca de Utah. Aprendieron a hablar y a escribir en inglés. Sarah aprendía rápido. Tenía un don para los idiomas. Cuando cumplió catorce años, Sarah ya podía hablar cinco idiomas.

COMPARAR Y CONTRASTAR Encuentra el párrafo que dice en qué se diferenciaban las ideas de Truckee acerca de los extraños de las ideas de otros paiute. Subraya una oración que hable de las ideas de Truckee. Encierra en un círculo la oración que habla de las ideas de otros paiute.

HACER Y RESPONDER PREGUNTAS ¿Qué información ofrece el autor para mostrar que Sarah aprendía rápido?

_____

_____

_____

PROPÓSITO DEL AUTOR ¿Con qué propósito crees que el autor escribió este capítulo? ¿Qué detalles te hicieron pensar eso?

_____

_____

_____

Sarah Winnemucca trabajó toda su vida para ayudar a los paiute.

IDEA PRINCIPAL Y DETALLES El autor escribe que la vida empeoró para los paiute. Subraya la oración que dice eso. Luego, encierra en un círculo dos detalles que apoyen esa idea.

Mientras tanto, la vida de los paiute empeoraba. Llegaban más y más extraños, que se quedaron con las tierras y el alimento de los paiute. A veces los mataban sin razón.

Sarah sabía que tenía que hacer algo. Comenzó a luchar por su pueblo con la única herramienta que tenía. Empezó a usar su habilidad con las palabras.

10   En esa época, la gente de los Estados Unidos sabía que había problemas entre los indígenas norteamericanos y los colonos blancos. La mayoría conocía solo la versión de los colonos acerca de lo que pasaba. Sarah Winnemucca quería que también oyeran la versión de los indígenas.

Sarah Winnemucca trabajaba como intérprete. Ayudaba a que personas que hablaban distintos idiomas se entendieran entre sí. Se encargaba de traducir mensajes en inglés al idioma paiute. Explicaba las creencias paiute a los colonos blancos. Sarah Winnemucca comenzó a dar discursos acerca de los paiute. Quería que los demás entendieran su modo de vida.

En 1880, Sarah Winnemucca fue a Washington, D. C. Allí dio muchos discursos acerca de los paiute. Descubrió que se reunían multitudes a escucharla si usaba su vestimenta paiute tradicional. Iban al teatro a escuchar cómo compartía relatos sobre los paiute. Se reunió con el presidente de los Estados Unidos y con otras personas poderosas. Quería que esas personas ayudaran a proteger las tierras paiute.

Sarah Winnemucca escribió un libro acerca de su pueblo y sus costumbres, llamado *La vida de los paiute: lo que sufrieron y lo que reclaman*. Describió cómo los colonos habían afectado el modo de vida paiute. Fue el primer libro escrito por una indígena norteamericana.

Además, Sarah abrió una escuela en Nevada. Enseñaba en inglés y en el idioma paiute. Siguió trabajando para que distintos pueblos se entendieran mutuamente. Sarah Winnemucca hizo muchas cosas por su pueblo.

Esta estatua de Sarah Winnemucca se encuentra ahora en el Capitolio, en Washington, D. C.

CLAVES DEL CONTEXTO
¿Qué palabras del párrafo 11 te ayudan a entender el significado de traducir? Encierra en un recuadro cada palabra.

IDEA PRINCIPAL Y DETALLES Recuerda los detalles que leíste acerca de Sarah Winnemucca. ¿Cuál crees que es la idea principal del artículo?

_____

_____

_____

Considerar ▶ ¿Qué cosas nuevas aprendiste sobre Sarah Winnemucca en este artículo?

¿Por qué es útil leer distintos artículos sobre un mismo tema?

Una gran mujer

1   Sarah Winnemucca es una de las indígenas norteamericanas más importantes de la historia de los Estados Unidos. Hizo muchas cosas en su vida para ayudar a los indígenas norteamericanos. Fue intérprete, maestra y escritora. Trabajó mucho para ayudar a personas de distintas culturas a entenderse entre sí.

Winnemucca, la intérprete

Winnemucca vivió en una época en la que la vida de los indígenas norteamericanos solía ser difícil. Era miembro de la nación paiute. Los colonos avanzaban hacia el Oeste a través de los Estados Unidos y, en ocasiones, ocupaban las tierras de los paiute. El conflicto era muy habitual. Muchos indígenas norteamericanos solo se relacionaban con los colonos luchando.

Winnemucca era distinta. A diferencia de muchos paiute, pasó mucho tiempo con personas de otras culturas cuando era joven. Se mudó a California con su abuelo cuando tenía seis años. Allí, aprendió a hablar en español y en inglés. Luego, cuando cumplió trece años, Winnemucca se mudó a Utah. Allí aprendió a leer y escribir. Su dominio del inglés ya era excelente.

La habilidad de Winnemucca para los idiomas fue importante cuando estalló la guerra entre los paiute y los colonos. Ella se convirtió en intérprete y usó sus habilidades para que los indígenas norteamericanos y los colonos se entendieran.

Winnemucca, la maestra

5 Winnemucca también fue maestra. Hablaba acerca de las costumbres paiute. Dio discursos en California, en los que habló acerca de las dificultades que enfrentaba su pueblo. Muchos habían muerto en la guerra y otros estaban enfermos. Habló con funcionarios para que protegieran las tierras paiute.

En 1880, Winnemucca viajó a Washington, D. C. Dio cientos de discursos en esa ciudad y en otras. En Washington, habló en el Congreso acerca del pueblo paiute. Incluso habló con el presidente Rutherford B. Hayes.

Winnemucca también creó una escuela para niños indígenas norteamericanos. Los estudiantes de la escuela aprendían acerca del estilo de vida de los indígenas norteamericanos. También aprendían a leer y escribir. Winnemucca creía que era importante que los indígenas norteamericanos aprendieran eso.

CONEXIONES LÓGICAS ¿Qué palabras señalan que el autor está contrastando a Sarah Winnemucca con otros indígenas norteamericanos? Según el autor, ¿por qué Winnemucca no se parecía a otros indígenas norteamericanos?

_____

_____

_____

COMPARAR Y CONTRASTAR Mira la sección "Winnemucca, la escritora". Subraya los detalles del libro de Winnemucca que coincidan con los detalles que leíste en el primer artículo. Encierra en un círculo los detalles que sean diferentes.

_____

_____

_____

IDEA PRINCIPAL Y DETALLES La idea principal del último párrafo es "Escribir su libro fue lo más importante que Winnemucca hizo por los paiute". ¿Qué detalles apoyan esa afirmación?

_____

_____

_____

PROPÓSITO DEL AUTOR ¿Cómo ayudan los títulos y los encabezados a que el lector entienda el propósito del autor al escribir este artículo?

_____

_____

_____

Winnemucca, la escritora

En 1883, Winnemucca pasó a ser la primera indígena norteamericana en publicar un libro en inglés. En su libro, contó la historia de la nación paiute y cómo vivió ese pueblo. También contó la historia de su vida y compartió cartas que había recibido.

Escribir su libro fue lo más importante que Winnemucca hizo por los paiute. Fue el primer libro que describía el estilo de vida de los paiute. Ahora, todo el mundo podía aprender acerca de los paiute, no solo los que escuchaban los discursos de Winnemucca. Incluso hoy en día, la gente lee su libro para aprender acerca de la vida de los indígenas norteamericanos en el pasado. El libro de Winnemucca mantendrá viva su historia por muchos años más.

Preguntas para comentar y afianzar los estándares

Comenta las siguientes preguntas con tus compañeros. Luego, anota las respuestas en los espacios en blanco.

1. ¿Cuál de los dos artículos sobre Sarah Winnemucca crees que sería mejor incluir en un libro de historia? ¿Por qué? Respalda tu respuesta con detalles de los dos textos.

_____

_____

_____

_____

_____

_____

_____

_____

_____

_____

_____

_____

Comprobar la comprensión

1. ¿En qué se parecen Sarah Winnemucca y los paiute a los inmigrantes sobre los que leíste en "Ellis y Ángel: Islas de esperanza"?

_____

_____

_____

2. ¿Cuál era el tema principal del libro de Sarah Winnemucca?

_____

_____

_____

3. ¿Por qué crees que el autor de "Una gran mujer" no incluyó detalles acerca del lugar o la fecha de nacimiento de Sarah Winnemucca?

_____

_____

_____

Leer por tu cuenta

Lee por tu cuenta otro texto histórico de no ficción, "Harriet Tubman". Ten en cuenta lo que aprendiste en esta lección y comprueba tu comprensión.

Escribir relatos personales

Un proyecto como construir un muñeco de nieve puede ser más divertido si lo haces con un amigo. ¿Qué proyectos disfrutas hacer con tus amigos? ¿Hiciste un proyecto de arte o armaste un avioncito con un amigo? ¿Cómo les fue? ¿Se divirtieron? ¿Cómo podrías compartir tu experiencia? Una manera de compartirla es escribir un relato personal.

PREGUNTA ESENCIAL

¿De qué manera escribir relatos personales nos ayuda a recordar experiencias?

¿Qué es un relato personal?

Tal vez necesitas ayuda con un proyecto de arte o de ciencias, o tal vez quieres construir una maqueta o una pajarera. Todas son buenas actividades para hacer con un amigo y pueden convertirse en relatos personales. En los relatos personales, puedes escribir acerca de cualquier experiencia.

En un **relato personal**, describes un suceso o una serie de sucesos que viviste. Compartes con los demás lo que te resultó divertido o lo que te gustó de esa experiencia. Observa algunas maneras de lograr que tu relato personal sea interesante.

Principio
Escribe sobre ti mismo y el proyecto. Da pistas acerca de lo que vendrá.

Desarrollo
Describe los sucesos importantes en el orden en el que ocurrieron. Incluye diálogos para mostrar las palabras, pensamientos y sentimientos de los personajes, y detalles precisos para que el lector pueda imaginarse bien lo que sucedió.

Final
Cuenta cómo resultó el proyecto y cómo te sentiste.

Observemos un relato personal.

Analizar un texto modelo

El siguiente es un ejemplo de un relato personal efectivo de una estudiante de tercer grado. Léelo y, luego, completa las actividades de los recuadros junto con tus compañeros.

El día que construimos un pingüino de nieve

El año pasado, me sucedió algo que siempre recordaré. En enero, nevó casi dos pies. Como no teníamos clases, construí un muñeco de nieve gigante con mi mejor amiga, Linda. Bueno, en realidad no era un muñeco de nieve. Era un pingüino de nieve.

Trabajamos toda la mañana en nuestra creación. Cuando nos daba frío, entrábamos en la casa para calentarnos. Mi mamá nos servía chocolate caliente y luego volvíamos afuera para seguir construyendo. Luego de un par de horas, ya habíamos llegado a la mitad del cuerpo del pingüino. El pingüino era más alto que nosotras. ¡Era imposible terminarlo!

—¿Cómo haremos la cabeza? —preguntó Linda.

—No lo sé —le respondí—. Nunca llegaremos hasta allí arriba.

—¡Tengo una idea! —me dijo—. Empujémoslo y recostémoslo. Así parecerá que está nadando de espaldas, y nosotras podremos terminarlo.

—¡Qué buena idea! —le respondí—. Hagámoslo.

PRINCIPIO En el principio, se presenta el proyecto y lo que sucedió. La escritora usa detalles vívidos. Encierra en un círculo un detalle que te haya llamado la atención.

DESARROLLO La escritora organiza los sucesos de forma clara y ordenada. Subraya una palabra o frase que indique cuándo ocurrió algo.

DETALLES SENSORIALES
La escritora usa detalles sensoriales para que el lector pueda visualizar y sentir lo que ocurrió. Subraya dos detalles de este tipo en el relato.

FINAL Al final, ¿qué piensa la escritora del proyecto? Dibuja una estrella al lado de la parte que expresa su opinión.

Nos colocamos enfrente del pingüino de nieve, contamos hasta tres y lo empujamos. ¡Qué error más grande! En vez de caer de espaldas, el pingüino se rompió en cientos de pedacitos.

—¡Ay, no! —grité—. ¡Se rompió!

Observamos el pingüino deshecho por algunos minutos. Nuestro duro trabajo había sido en vano.

—No te preocupes —dijo Linda—. Podemos reconstruirlo.

Me puse contenta de que Linda todavía quisiera trabajar conmigo en el pingüino. Pero tenía los guantes empapados y los pies como cubitos de hielo. No quería empezar de cero.

Entonces, Linda dijo:

—Ya sé. Bebamos otra taza de chocolate caliente primero.

¡Qué buena idea! Al beber el chocolate, sentí que el calor me recorría todo el cuerpo. Luego, pensé en lo divertido que había sido el día. Volvimos afuera y arreglamos el pingüino. ¡Quedó increíble!

Piensa ▶ ¿Por qué crees que la escritora quería contar esta experiencia?

¿Cómo te ayuda la escritora a sentir y visualizar lo que sucedió?

Estudio del vocabulario: Prefijos y raíces de palabras

La **raíz** es una palabra base sin prefijo ni sufijo. Contiene el significado principal de la palabra. El **prefijo** se incorpora al comienzo de la palabra y modifica su significado. Trabaja con toda la clase o con un compañero para completar los recuadros con palabras que contengan cada uno de los prefijos.

Prefijo	Significado	Raíz con el prefijo
pre–	antes	prelavado
im–	no	
re–	otra vez	
des–	no	

Vuelve a observar el relato personal del pingüino de nieve. Busca dos palabras con prefijo y completa las siguientes tablas. Usa un diccionario para comprobar su significado. Luego, escribe tus propias oraciones con las palabras.

Palabra

Prefijo

Significado

Oración

Palabra

Prefijo

Significado

Oración

Proceso de escritura

Ya has leído y observado un ejemplo de relato personal. Ahora crearás tu propio relato siguiendo estos pasos del proceso de escritura.

1. Prepararse: Hacer una lluvia de ideas Enumera varios proyectos sobre los que te gustaría escribir. Elige proyectos que disfrutabas hacer con amigos. Piensa qué es lo que más recuerdas de los proyectos.

2. Organizar Usa un organizador gráfico para anotar los sucesos y los detalles.

3. Hacer un borrador Escribe el primer borrador de tu relato personal.

4. Comentar en parejas Trabaja con un compañero para evaluar y mejorar tu borrador.

5. Revisar Usa las sugerencias de tu compañero para revisar tu trabajo.

6. Editar Revisa tu trabajo con atención para eliminar los errores de ortografía, puntuación y gramática.

7. Publicar Escribe la versión final de tu relato personal.

Trabajo de escritura

En esta lección, escribirás tu propio relato personal. A medida que escribes el relato, recuerda las partes del texto modelo que funcionaron mejor. Lee la siguiente instrucción:

> Piensa en un proyecto que realizaste con un amigo. Elige algo que disfrutaste. ¿Por qué ese proyecto fue importante para ti? ¿Te sirvió trabajar con un amigo? ¿Cómo resultó el proyecto? ¿Sucedió algo divertido? ¿Qué aprendiste? ¿Qué te gustaría compartir acerca de la experiencia?
>
> Describe el proyecto que realizaste con un amigo en un relato de tres a cinco párrafos de largo. ¡Logra que los lectores se interesen en tu experiencia!

1. Prepararse: Hacer una lluvia de ideas

El primer paso para escribir un relato personal es elegir el tema. Empieza enumerando varios proyectos que realizaste con amigos. Escribe por qué te pareció divertido o cómo resultó cada proyecto.

La autora del relato modelo anotó las siguientes experiencias.

Cartel del concierto	Pingüino de nieve	Casita en el árbol
Hice un gran cartel con Annie para el concierto de la banda. ¡Quedó muy bien!	El pingüino de nieve se rompió en pedacitos, pero me divertí mucho con Linda mientras lo hacíamos.	Fue un proyecto muy difícil, así que nunca lo terminamos.

¡Inténtalo! Usa un organizador gráfico

Ahora usa la siguiente tabla para anotar experiencias que puedas usar en tu relato personal. Elige proyectos que disfrutaste hacer con un amigo.

Hacer una lluvia de ideas para elegir el tema

Puedes usar un organizador gráfico para anotar las ideas y los detalles de tu relato personal. La autora del texto modelo completó el siguiente organizador gráfico.

PRINCIPIO Presenta el proyecto, cuándo lo hiciste y con quién. Atrae la atención del lector.

DETALLES Agrega detalles para que el lector pueda ver, oír y sentir lo que sucedió. ¿Qué dijeron tu amigo y tú? ¿Sucedió algo divertido?

DESARROLLO Decide qué sucesos incluirás. Más tarde podrás organizarlos. Por el momento, solo anota las cosas importantes que recuerdes.

FINAL Piensa cómo te gustaría terminar el relato. En el final, debes contar cómo resultó el proyecto y cómo te sentiste.

Principio	Detalles
El año pasado, construí un pingüino de nieve con mi amiga Linda.	Había dos pies de nieve.
Desarrollo **Sucesos:** • Trabajamos toda la mañana. • El pingüino era tan alto que no alcanzábamos la parte de arriba. • Linda tuvo la idea de recostar el pingüino. • Rompimos el pingüino.	Mi mamá nos servía chocolate caliente cuando teníamos frío. Linda dijo: "Empujémoslo". El pingüino se rompió en cientos de pedacitos.
Final Linda dijo que debíamos reconstruirlo.	Decidimos beber más chocolate primero. Luego, estaba lista para reconstruirlo.

¡Inténtalo!

Usa un organizador gráfico para comenzar

Ahora, usa el siguiente organizador gráfico para anotar ideas para el principio, el desarrollo y el final de tu relato personal.

Principio	Detalles
Desarrollo Sucesos que incluiré:	
Final	

2. Organizar

Ya casi estás listo para empezar a hacer el borrador de tu relato personal. Puedes usar un organizador gráfico para anotar los sucesos y los detalles que pensaste durante la lluvia de ideas. Podrás consultarlo mientras trabajas en las diferentes partes del borrador. La autora del texto modelo completó la siguiente tabla.

PRINCIPIO En el primer párrafo, debes

- presentar el tema de tu relato personal.
- explicar cuándo y con quién realizaste el proyecto.

DESARROLLO En el desarrollo del relato, debes

- describir lo que sucedió.
- incluir diálogos y detalles vívidos.

FINAL En el final, debes

- explicar cómo resultó el proyecto.
- contar cómo te sentiste.

Principio
Construí un muñeco de nieve gigante con mi mejor amiga, Linda. Se convirtió en un pingüino de nieve.

Desarrollo: Suceso 1
Trabajamos toda la mañana. Hicimos un pingüino de nieve más alto que nosotras. No podíamos terminarlo.

Desarrollo: Suceso 2
Decidimos recostar el pingüino para que pareciera que nadaba.

Desarrollo: Suceso 3
Empujamos el pingüino y se rompió.

Final
Decidimos reconstruir el pingüino de nieve, pero antes bebimos chocolate caliente. Luego, estaba lista para arreglar al pingüino.

¡Inténtalo!

Ahora, usa el siguiente organizador gráfico para anotar las ideas y los detalles que quieres incluir en las diferentes partes del borrador.

Principio

Desarrollo: Suceso 1

Desarrollo: Suceso 2

Desarrollo: Suceso 3

Final

3. Hacer un borrador

Llegó el momento de empezar el primer borrador de tu relato personal. Recuerda que no es necesario que el borrador sea perfecto. Ahora puedes usar tus notas, escribir tus ideas y divertirte. Más tarde tendrás tiempo de revisar lo que escribes. Empieza el borrador de tu relato en una computadora o en una hoja de papel aparte. Describe el proyecto que realizaste con un amigo y cómo resultó.

Técnica del escritor: Usar palabras y frases temporales

Las palabras y frases temporales indican cuándo sucedió algo. Conectan los sucesos y describen el orden en el que ocurrieron. Las siguientes son palabras y frases temporales que ayudan a conectar los sucesos de un relato.

Palabras temporales	**cuando, después, durante, entonces, entretanto, finalmente, luego, mientras, primero, último**
Frases temporales	**al final, al mismo tiempo, el primer día, el año pasado, luego de un tiempo, más tarde esa tarde, más tarde, toda la mañana, unos días después**

La autora del texto modelo usa palabras y frases temporales en el segundo párrafo.

PALABRAS Y FRASES TEMPORALES Lee el siguiente fragmento del texto modelo. Encierra en un círculo las palabras temporales. Subraya las frases temporales.

Trabajamos toda la mañana en nuestra creación. Cuando nos daba frío, entrábamos en la casa para calentarnos. Mi mamá nos servía chocolate caliente y luego volvíamos afuera para seguir construyendo. Luego de un par de horas, ya habíamos llegado a la mitad del cuerpo del pingüino. El pingüino era más alto que nosotras. ¡Era imposible terminarlo!

¡Inténtalo!

Escribe tu primer borrador

En una computadora o en una hoja de papel aparte, continúa el borrador de tu relato personal. Recuerda usar palabras y frases temporales para indicar el orden de los sucesos. Mientras escribes, ten en cuenta esta lista de control para hacer borradores.

✓ Un buen principio atrae la atención del lector. Puedes empezar con una pregunta, una afirmación o un detalle gracioso.

✓ En el principio, explica qué hiciste y con quién.

✓ Escribe los sucesos en el orden en el que sucedieron.

✓ Usa palabras y frases temporales para indicar el orden de los sucesos.

✓ Usa detalles descriptivos y diálogos.

✓ En el final, cuenta cómo resultó el proyecto y cómo te sentiste. Intenta agregar algún detalle que haga inolvidable tu relato.

Sugerencias para empezar

- Habla con tu amigo acerca del proyecto. Puede que tu amigo recuerde detalles que tú hayas olvidado.

- Haz una lluvia de ideas y de frases clave antes de empezar a escribir. Anota lo primero que te venga a la mente. ¡Es una muy buena preparación!

- En un relato personal, tus sentimientos son muy importantes, así que piensa qué sentiste cuando realizabas el proyecto. Anota lo que recuerdes mejor. Podrás agregar detalles más tarde, cuando revises y edites el borrador.

4. Comentar en parejas

Cuando termines tu borrador, trabajarás con un compañero para intercambiar y revisar sus trabajos. El siguiente es un borrador del texto modelo. Trabaja con tu compañero para leerlo y responder a las preguntas de los recuadros. Luego, veremos cómo el compañero de la escritora evaluó su borrador.

PRINCIPIO En el borrador, la escritora no explica cómo estaba el tiempo. ¿Por qué sería buena idea agregar ese detalle?

_____

_____

DESARROLLO En el segundo párrafo, se podrían usar palabras y frases temporales para conectar los sucesos e indicar el orden en el que ocurrieron. ¿Qué frases o palabras temporales podrías incluir en el segundo párrafo?

_____

_____

FINAL En el final, no se cuentan los sentimientos de la escritora. ¿Cómo se sintió la escritora respecto a su proyecto?

_____

_____

_____

Borrador inicial:

El día que construimos un pingüino de nieve

Tuve una experiencia que recordaré toda la vida. Construí un muñeco de nieve gigante con mi mejor amiga, Linda. Bueno, en realidad no era un muñeco de nieve. Era un pingüino de nieve.

Trabajamos mucho en el pingüino de nieve. Hacía mucho frío afuera y entrábamos en la casa para calentarnos. Mi mamá nos servía chocolate caliente y volvíamos afuera para seguir construyendo. Al poco tiempo, el pingüino era más alto que nosotras.

—Nunca llegaremos hasta allí arriba —dije.

Habíamos terminado solo la mitad del cuerpo del pingüino.

—¿Cómo haremos la cabeza? —preguntó Linda.

—No lo sé —le respondí.

—¡Tengo una idea! —me dijo—. Empujémoslo y recostémoslo de espaldas. Así podremos terminarlo.

—Bueno —le respondí—. Hagámoslo.

Nos colocamos enfrente del pingüino de nieve, contamos hasta tres y lo empujamos. En vez de caer de espaldas, el pingüino se rompió en cientos de pedacitos. Observamos el pingüino por varios minutos.

—Bueno —dijo Linda—. Podemos reconstruirlo.

—Bueno —dije.

—Pero, primero, mejor deberíamos entrar a beber otra taza de chocolate caliente —dijo.

Luego, salimos y arreglamos el pingüino.

Ejemplo de ficha para comentar en parejas

La siguiente ficha muestra cómo un compañero evaluó el borrador del texto modelo que se encuentra en la página anterior.

En el principio, se presenta el proyecto, los participantes y el momento en el que sucede.	Hiciste un buen trabajo al contar tus sentimientos por el proyecto a los lectores.
La escritora describe sus sentimientos acerca del proyecto de manera clara.	Podrías mejorar tu borrador si explicaras cuándo sucedió el proyecto.

La escritora presenta los sucesos en orden.	Hiciste un buen trabajo al escribir los sucesos en orden. También incluiste diálogos interesantes.
La escritora incluye detalles interesantes y diálogos.	Podrías mejorar tu borrador si agregaras detalles para describir el pingüino de nieve.

La escritora usa palabras y frases temporales para indicar el orden de los sucesos.	Hiciste un buen trabajo al usar algunas palabras y frases temporales para indicar el orden de los sucesos.
	Podrías mejorar tu borrador si agregaras más palabras y frases temporales en el segundo párrafo.

La escritora cuenta cómo resultó el proyecto o agrega un detalle inolvidable.	Hiciste un buen trabajo al agregar el detalle de que bebieron chocolate caliente antes de reconstruir el pingüino de nieve. Contaste cómo resultó el proyecto.
En el final, la escritora incluye sus sentimientos acerca del proyecto.	Podrías mejorar tu borrador si agregaras una oración que expresara tus sentimientos acerca del proyecto.

¡Inténtalo!

Comenta en pareja

Ahora, trabajarás con un compañero para intercambiar y revisar los borradores usando la siguiente ficha. Si necesitan ayuda, vuelvan a mirar la ficha de la escritora del texto modelo en busca de sugerencias.

En el principio, se presenta el proyecto, los participantes y el momento en el que sucede.	Hiciste un buen trabajo al
El escritor describe sus sentimientos acerca del proyecto de manera clara.	Podrías mejorar tu borrador si

El escritor presenta los sucesos en orden.	Hiciste un buen trabajo al
El escritor incluye detalles interesantes y diálogos.	Podrías mejorar tu borrador si

El escritor usa palabras y frases temporales para indicar el orden de los sucesos.	Hiciste un buen trabajo al
	Podrías mejorar tu borrador si

El escritor cuenta cómo resultó el proyecto o agrega un detalle inolvidable.	Hiciste un buen trabajo al
En el final, el escritor incluye sus sentimientos acerca del proyecto.	Podrías mejorar tu borrador si

¡Inténtalo! **Anota los comentarios clave**

Llegó el momento de que tú y tu compañero comenten sus trabajos. Escucha los comentarios de tu compañero y anota los más importantes en la columna de la izquierda. Luego, escribe algunas ideas para mejorar tu borrador en la columna derecha.

Según los comentarios de mi compañero, el principio	Voy a
Según los comentarios de mi compañero, el desarrollo	Voy a
Según los comentarios de mi compañero, el final	Voy a

Usa el siguiente espacio en blanco para escribir algo más que encuentres en tu borrador que puedes mejorar.

5. Revisar

En este paso del proceso de escritura, trabajarás en las partes de tu borrador que debes mejorar. Usa como ayuda la ficha que completó tu compañero. Además, usa tus propias ideas para mejorar cada parte de tu relato personal. La siguiente lista de control incluye algunos puntos que debes considerar cuando te prepares para hacer la revisión.

Lista de control para la revisión

✔ ¿El principio es interesante para los lectores? ¿Explico cuál es el proyecto, y cuándo y con quién lo realicé?

✔ ¿Cuento los sucesos en el orden en que ocurrieron?

✔ ¿Uso detalles, datos y diálogos para explicar el proyecto?

✔ ¿El final es interesante? ¿Expresé mis sentimientos?

✔ ¿Uso palabras y frases temporales para indicar el orden de los sucesos?

✔ ¿Uso lenguaje sensorial para compartir mi experiencia con los lectores?

Técnica del escritor: Usar lenguaje sensorial

Al agregar detalles sensoriales, logras que tu experiencia personal parezca más real. Por ejemplo, si en tu relato vuelas una cometa, puede que recuerdes el brillo del sol o el viento que te despeinaba. Ahora, observa el texto modelo y busca ejemplos de lenguaje sensorial.

LENGUAJE SENSORIAL
El lenguaje sensorial ayuda a los lectores a ver, oler, sentir, saborear o escuchar elementos del relato. Subraya el lenguaje sensorial de esta parte del texto modelo.

Me puse contenta de que Linda todavía quisiera trabajar conmigo en el pingüino. Pero tenía los guantes empapados y los pies como cubitos de hielo. No quería empezar de cero.

Entonces, Linda dijo:

—Ya sé. Bebamos otra taza de chocolate caliente primero.

¡Qué buena idea! Al beber el chocolate, sentí que el calor me recorría todo el cuerpo.

¡Inténtalo! Revisa tu relato personal

Una parte importante de la revisión consiste en verificar los detalles sensoriales. Debemos agregar lenguaje sensorial al siguiente párrafo. Completa los espacios en blanco con detalles que apelen a los sentidos. Luego, compara tu trabajo con el de un compañero.

El verano pasado, hice una cometa con mi amiga Jan. Era una cometa bonita, con una cola colorida que _____. La cola tenía listones _____, rojos y _____.

Volamos la cometa en la playa. Había mucho viento y _____. La arena estaba _____. Corrí con mi amiga por la playa. La cometa se elevó bien alto en el aire. ¡Parecía una mariposa gigante!

Trabajo de escritura

Llegó el momento de revisar el borrador de tu relato personal. Continúa trabajando en una computadora o en una hoja de papel aparte. Verifica la instrucción y la lista de control para saber si has incluido todo lo que necesitabas.

Piensa en un proyecto que realizaste con un amigo. Elige algo que disfrutaste. ¿Por qué ese proyecto fue importante para ti? ¿Te sirvió trabajar con un amigo? ¿Cómo resultó el proyecto? ¿Sucedió algo divertido? ¿Qué aprendiste? ¿Qué te gustaría compartir acerca de la experiencia?

Describe el proyecto que realizaste con un amigo en un relato de tres a cinco párrafos de largo. ¡Logra que los lectores se interesen en tu experiencia!

6. Editar

Luego de revisar tu relato personal, debes editarlo. Cuando editas, lees con atención para detectar todos los errores que pueda haber en el texto. Esta lista de control indica algunos puntos que debes verificar cuando editas.

Lista de control para la edición

✓ ¿Dejaste sangría en todos los párrafos?

✓ ¿Todas las oraciones están completas? ¿Todas tienen un sujeto y un verbo?

✓ ¿Empezaste todas las oraciones con mayúscula?

✓ ¿Todas las oraciones tienen la puntuación adecuada?

✓ ¿Usaste bien las rayas de diálogo?

✓ ¿Todas las palabras están bien escritas?

Puedes usar estos signos de corrección para marcar todos los errores que encuentres.

Agregar signo de exclamación inicial ⌃ Agregar una coma

Agregar raya de diálogo ⌄ Agregar tilde ~~borrar~~ Borrar

En esta parte del borrador del texto modelo se muestra cómo usar los signos de corrección.

Nos colocamos enfrente del pingüino de nieve contamos
_{caer}
hasta tres y lo empujamos. En vez de ~~cayer~~ de espaldas, el
_{pedacitos}
pingüino se rompió en cientos de ~~pedaictos~~.

—¡Ay no! —grité—. ¡Se rompió!

Observamos el pingüino deshecho por ~~por~~ algunos minutos.

—No te preocupes —dijo Linda—. Podemos reconstruirlo.

Enfoque en el lenguaje: Puntuación de diálogos, signos de exclamación e interrogación, acentuación

En los diálogos, debemos usar una raya de diálogo antes de las palabras de un personaje.

Ejemplo: —Hagamos un muñeco de nieve.

A veces, después de las palabras que dice un personaje, queremos aclarar quién habló, cómo lo dijo o qué estaba haciendo. En esos casos, debemos agregar otra raya de diálogo para separar lo que dice el personaje de nuestra aclaración.

Ejemplo: —¡Qué buena idea! —respondió con una sonrisa.

Si el hablante hace una pregunta o exclama algo, recuerda usar signos de interrogación o exclamación al comienzo y al final de la oración.

Ejemplos: ¿Cómo haremos la cabeza?; ¡Ay, no!

Asegúrate de colocar las tildes correctamente. Las palabras agudas, o acentuadas en la última sílaba, solo llevan tilde si terminan en vocal o en las consonantes *n* o *s*. Las palabras graves, o acentuadas en la penúltima sílaba, solo llevan tilde si terminan en consonante, exceptuando la *n* y la *s*. Las palabras esdrújulas, o acentuadas en la antepenúltima sílaba, llevan siempre tilde.

Ejemplos: Agudas: *nevó*, *trabajar*; Graves: *árbol*, *clases*; Esdrújulas: *fantástico*, *imágenes*

> —¿Cómo haremos la cabeza? —preguntó Linda.
>
> —No lo sé —le respondí—. Nunca llegaremos hasta allí arriba.
>
> —¡Tengo una idea! —me dijo—. Empujémoslo y recostémoslo. Así parecerá que está nadando de espaldas, y nosotras podremos terminarlo.
>
> —¡Qué buena idea! —le respondí—. Hagámoslo.

PUNTUACIÓN DE DIÁLOGO Lee este fragmento del texto modelo. Las rayas de diálogo indican las palabras exactas del hablante. Subraya los diálogos de esta parte del texto modelo. Encierra en un círculo las palabras que indican quiénes son los hablantes.

¡Inténtalo!

Practica la edición y el uso del lenguaje

Practica el uso correcto de la puntuación. Halla los errores de puntuación en las siguientes oraciones y corrígelos. Agrega la puntuación que falte.

1. Si me ayudas, podremos construir el muñeco de nieve más rápido dije.

2. ¿Dónde están mis guantes? Los viste? preguntó Mario.

3. ¿Los habrás dejado en la casa de Sam? pregunté.

4. No, hace un minuto los tenía dijo.

5. Mira! ¡Se los pusiste al muñeco de nieve! exclamé.

Ahora, usa signos de corrección para marcar los errores del siguiente párrafo:

¿Qué tipo de muñeco de nieve podemos construir —pregunté—.

—Quiero construir un ganso de nieve contesto Leo.

—Cómo se construye un ganso de nieve? pregunté.

—No es dificil —dijo Leo —. Pero necesitamos dos palos grandes para hacer las patas.

Hay algunos palos grandes en el jardín de Ted —dije—. Tal vez nos deje usarlos.

¡Inténtalo! Edita tu relato personal

Ahora, edita tu relato personal. Usa la siguiente lista de control y los signos de corrección que aprendiste para corregir los errores que encuentres.

- ☐ ¿Todas las oraciones están completas? ¿Todas tienen un sujeto y un verbo?

- ☐ ¿Empezaste todas las oraciones con mayúscula?

- ☐ ¿Todas las oraciones tienen la puntuación adecuada?

- ☐ ¿Pusiste bien las tildes?

- ☐ ¿Usaste la puntuación correcta en los diálogos? ¿Usaste las comas correctamente?

- ☐ ¿Todas las palabras están bien escritas?

Sugerencias para la edición

- Lee el relato en voz alta para detectar si faltan palabras o hay oraciones extrañas. Pregúntate: "¿Suena bien?".

- Mientras lees, escucha con atención las pausas que haces. Por lo general, las pausas indican los lugares donde debería haber un signo de puntuación. Pregúntate: "¿Me falta alguna coma? ¿Debería agregar signos de interrogación?".

- Lee tu relato lentamente por lo menos dos veces. Cuando leemos en busca de errores, ¡una sola lectura no es suficiente!

7. Publicar

En la computadora o en una hoja de papel aparte, crea un borrador final de tu relato personal que se lea con claridad. Corrige todos los errores que identificaste mientras editabas el borrador. Asegúrate de ponerle un título interesante.

El paso final es publicar tu relato. Puedes compartir tu trabajo de distintas maneras.

- Ilustra tu relato con dibujos o fotografías.

- Lee tu relato personal en voz alta a la clase. Si es posible, léelo con el amigo que realizó el proyecto contigo.

- Recopila los relatos de la clase en un cuadernillo.

- Coloca todos los relatos personales en el cartel de anuncios de la clase.

Sugerencias para el uso de tecnología

- Publica tu relato personal en el blog de tu clase o de la escuela.
- Imprime tu relato personal en papel especial o con bordes decorativos.
- Envía un correo electrónico con tu relato personal al amigo con el que realizaste el proyecto.

Leer obras de teatro

Observa los personajes de esta imagen. ¿De qué crees que se trata la obra que están representando?

PREGUNTA ESENCIAL

¿Por qué una obra de teatro es una forma especial de contar un relato?

Considerar ▶ ¿Puede una persona egoísta llegar a ser amable y generosa?

¿Pueden hacer una diferencia en el mundo real las cosas que imaginas?

Un jardín para compartir

Personajes

Marcus y Alma, gemelos de nueve años

La Sra. Genio, una visita inesperada.

Mamá, la madre de los gemelos

El Sr. Gruñón, el propietario del edificio

Escena 1

ESCENARIO: Un apartamento en un gran edificio de una ciudad. Los niños están sentados en el suelo de la habitación de Alma.

1 **Marcus:** ¿Qué es eso?

Alma: Una botella vieja. La encontré en el terreno baldío.

Marcus: ¿Para qué quieres eso? Es basura, ¡como todo en esta ciudad!

Alma: Desde que nos mudamos aquí, lo único que haces es quejarte.

5 **Marcus:** No me gusta estar aquí. Quiero volver a la granja del abuelo.

Alma: *(Suspira).* Yo también extraño la granja. Ojalá pudiéramos limpiar el baldío para hacer un jardín.

Marcus: Ese malvado Sr. Gruñón nos dijo que no nos acercáramos al baldío. *(En tono burlón).* La basura es peligrosa, dice. ¡Cuidado con esa botella vieja!

Alma: A veces el cristal viejo es muy valioso. Voy a limpiarlo.

(Alma limpia la botella. De golpe, alguien golpea muy fuerte a la puerta. La puerta se abre de golpe y la Sra. Genio entra como una tromba. Su extraña vestimenta está cubierta de brillos).

Alma y Marcus: *(Los dos se sobresaltan).* ¿Quién es usted?

10 **Sra. Genio:** ¡Jejeje! Los sorprendí. ¡Qué maravilla! Cada vez es más difícil sorprender a la gente, en especial a los adultos. ¡Nada los sorprende! ¿Quién soy? Mi nombre es Sra. Genio.

Alma: ¿Qué hace aquí?

Sra. Genio: Jejeje. He venido a ayudarlos. ¡Me encanta ayudar a la gente! Quieren hacer un jardín en el baldío. Quieren cultivar mil flores hermosas y un millón de vegetales deliciosos. Les gustaba mucho la granja de su abuelo. Quieren que el baldío se convierta en un pedacito de esa granja que tanto querían. ¡Qué maravilla!

Marcus: ¿Cómo sabe todo eso? ¡Nunca la habíamos visto!

Sra. Genio: Sé muchas cosas. Conozco al dueño del edificio, el Sr. Gruñón. No es un hombre malo, pero se preocupa. Cree que hacer un jardín es demasiado trabajo para ustedes.

SECUENCIA La secuencia de sucesos es el orden en el que ocurren las cosas. Al principio de la obra, Marcus y Alma hablan acerca de mudarse a la ciudad, un suceso que ocurrió antes de que comenzara la obra. ¿Qué suceso relacionado con el propietario del edificio, ocurrido antes del comienzo de la obra, mencionan los niños?

DIÁLOGO Lo que dicen los personajes se llama diálogo. En las obras de teatro, antes de cada línea de diálogo aparece el nombre de un personaje para que el lector sepa quién está hablando. Lo que los personajes dicen muestra lo que piensan, sienten o hacen. ¿Qué puedes decir acerca de la Sra. Genio a partir de lo que dice en el diálogo?

CARACTERÍSTICAS DE LOS PERSONAJES Las características del personaje son detalles acerca de los personajes que muestran cómo son. La Sra. Genio se ríe mucho. Esa característica nos dice que es una persona alegre. ¿Qué característica tiene el Sr. Gruñón, según la Sra. Genio?

A veces, las palabras quieren decir algo distinto de lo que de hecho dicen. Eso se conoce como *lenguaje no literal*. Cuando la Sra. Genio dice que los niños quieren cultivar "mil flores hermosas y un millón de vegetales deliciosos", no dice que vayan a plantar esa cantidad exactamente. Quiere decir que quieren cultivar muchas cosas. Cuando la Sra. Genio dice que al Sr. Gruñón "le va a cambiar la cara", no quiere decir que vaya a tener una apariencia distinta. ¿Qué quiere decir en realidad?

15 **Marcus:** ¿Demasiado trabajo? ¡Debería ver el jardín que teníamos en la granja! Muéstrale las fotos, Alma. Tal vez ella pueda mostrarle al Sr. Gruñón lo que hicimos.

(Alma va al escritorio, toma varias fotos y se las muestra a la Sra. Genio).

Sra. Genio: ¡Maravilloso! Voy a llevárselas al Sr. Gruñón. ¡Le va a cambiar la cara! *(A Alma)* Ten cuidado con esa botella.

(La Sra. Genio sale por la puerta. La puerta vuelve a abrirse y Mamá se asoma).

Mamá: Hola, niños. Hora de almorzar.

Alma: Mamá, ¿quién era esa señora?

Mamá: ¿Qué señora?

20 **Marcus:** La Sra. Genio… esa señora con la ropa llena de brillos.

Mamá: No vi a nadie. ¡Ustedes y sus fantasías!

Escena 2

ESCENARIO: Sala del apartamento. Mamá, Marcus, Alma y el Sr. Gruñón están charlando.

Mamá: Gracias por venir a hablar con nosotros, Sr. Gruñón.

Sr. Gruñón: Es un placer. ¡La idea de hacer un jardín es maravillosa! Voy a pagar por todas las herramientas y semillas. No puedo esperar a ver el baldío lleno de flores en lugar de toda esa basura vieja.

Mamá: Vaya, Sr. Gruñón, es muy gentil de su parte. ¿Por qué cambió de opinión?

25 **Sr. Gruñón:** *(Confundido)* Bueno, pensaba que hacer un jardín sería demasiado trabajo para los niños. Pero creo que después tuve un sueño. Una mujer vino a hablarme. Una mujer muy alegre con ropa llena de brillos. Me mostró fotos del jardín que solían tener Marcus y Alma y dijo que trabajarían mucho. Me hizo sentir bien, ¿sabe? Y me convenció de que un jardín sería la mejor manera de mejorar mi edificio. Y ahora puedo ver que tenía razón acerca de Marcus y Alma. Ahora sé que trabajarán mucho. *(A los niños)* Si necesitan ayuda, avísenme. *(Sale el Sr. Gruñón)*.

OBRA DE TEATRO: ESCENAS
Generalmente, las obras de teatro están divididas en partes llamadas *escenas*. Cuando cambia el escenario del relato, comienza una nueva escena. Esto puede significar que hay nuevos personajes o nuevas acciones en la historia. Una obra larga puede tener muchas escenas agrupadas en secciones que se llaman *actos*. En la escena 2, el Sr. Gruñón aparece por primera vez. ¿Por qué sorprende lo que dice?

HACER INFERENCIAS Cuando hacemos inferencias, usamos pistas del texto y lo que ya sabemos para descubrir algo que no se dice directamente. El Sr. Gruñón dice que cree que tuvo un sueño acerca de una señora rara con ropas llenas de brillos. ¿Qué inferencia puedes hacer acerca de lo que pasó?

HACER Y RESPONDER PREGUNTAS En la escena 1, leíste que el Sr. Gruñón dijo a los niños que no se acercaran al baldío. Sin embargo, al principio de la escena 2, dice que la idea de hacer un jardín es maravillosa. ¿Qué pregunta podrías hacerte acerca del Sr. Gruñón en esta parte de la obra?

OBRAS DE TEATRO: ACOTACIONES Las obras de teatro incluyen acotaciones. Las acotaciones dicen qué hacen los actores en el escenario o cómo dicen su diálogo. Las acotaciones ayudan a mostrar lo que siente un personaje o lo que está pasando. Mira la acotación que dice *"Confundida"*. ¿Qué te dice la acotación acerca de lo que siente Mamá?

MOTIVACIÓN La motivación es lo que hace que alguien quiera hacer algo. Los niños extrañan la granja de su abuelo. Por eso quieren hacer un jardín. ¿Cómo cambia la motivación del Sr. Gruñón durante la obra?

SECUENCIA ¿Cómo afecta al Sr. Gruñón y a los sucesos de la obra la conversación que la Sra. Genio tiene con él?

Mamá: ¿Qué le pasó al Sr. Gruñón? Siempre fue gruñón y de repente es muy positivo. ¿No es asombroso?

Marcus: Sí, ¡es asombroso!

Mamá: *(Confundida)* Por cierto, ¿ustedes no habían hablado de una señora con ropa brillante?

Alma y Marcus: ¿Nosotros?

30 **Mamá:** Bueno, como sea, pónganse sus abrigos así vamos a la tienda a buscar herramientas y semillas. ¡Esto será muy divertido! Apuesto a que todos los niños del vecindario querrán venir a ayudar. Voy a buscar mi bolso. Los espero en el carro.

(Mamá sale por la puerta, y entra la Sra. Genio).

Sra. Genio: ¿Vieron? El Sr. Gruñón no es tan malo. Ahora pueden hacer su jardín, y el Sr. Gruñón los ayudará. ¡Qué maravilla!

Marcus: ¿Qué hizo? ¿Cómo logró que el Sr. Gruñón cambiara tanto?

Sra. Genio: Solo lo ayudé a ser más alegre. Y también lo ayudé a ver que tener un jardín mejoraría su edificio. ¡Me gustó tanto ayudarlo!

Alma: ¿Cómo podemos agradecerle?

35 **Sra. Genio:** Oh, no hace falta. Pero… ¿podrías devolverme esa botella?

Alma: Oh, ¿es suya? Pensé que era basura vieja. (*Le da la botella*).

Sra. Genio: Oh, sí, querida. Tienes razón. Basura vieja. ¡Adiós! ¡Fue una maravilla ayudarlos! Jejeje. (*Sale por la puerta*).

Marcus: ¡Asombroso!

Alma: ¡Podrías incluso decir que fue una maravilla!

> **PUNTO DE VISTA** La botella vieja tiene un papel importante en el relato. ¿Qué crees que piensa Alma de la botella? ¿Crees que la botella tiene algo especial?

Comprobar la comprensión

Piensa en la secuencia de sucesos de "Un jardín para compartir". Después, completa las siguientes oraciones que resumen los sucesos de la obra.

Escena 1

1. Marcus pregunta _____ por la botella.

2. Marcus y Alma hablan de cómo les gustaría _____.

3. Alma empieza a limpiar _____.

4. _____ entra como una tromba.

5. La Sra. Genio dice que va a _____.

6. Mamá dice que no _____.

Escena 2

7. El Sr. Gruñón dice que ayudará _____.

8. _____ dice que cambió de opinión porque _____

_____

_____.

9. Mamá está confundida porque _____.

10. _____ regresa.

11. _____ devuelve _____ a la Sra. Genio.

12. _____ se va con la botella.

Vocabulario

Usa el siguiente mapa de palabras para definir y usar una de las palabras de vocabulario resaltadas de la lectura "Compartir y aprender" u otra palabra que te indique tu maestro.

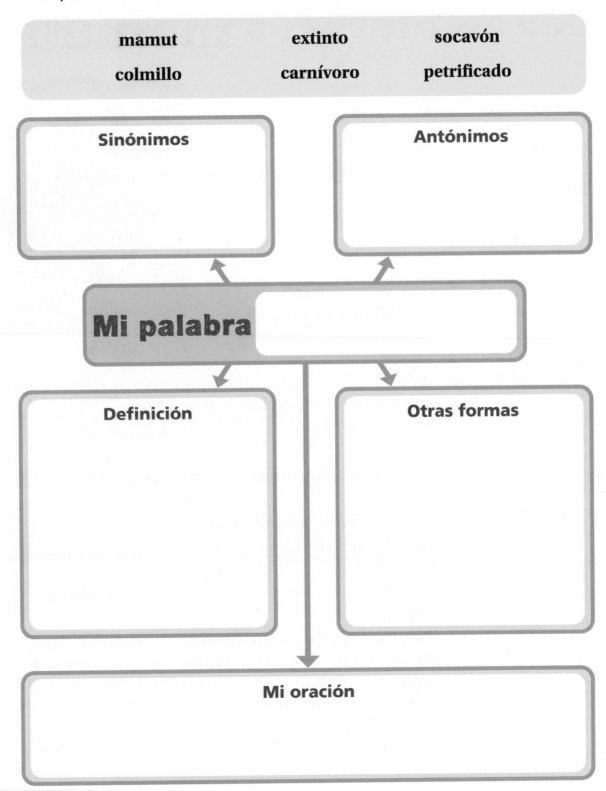

mamut   extinto   socavón

colmillo   carnívoro   petrificado

Sinónimos

Antónimos

Mi palabra

Definición

Otras formas

Mi oración

Considerar ▶ ¿Cómo era el mundo hace miles de años?

¿Cómo aprenden las personas de la actualidad acerca del pasado distante?

Una aventura con mamuts

DIÁLOGO
¿Qué personaje quería ir al museo? ¿Qué motivación tenía para hacer eso?

_____

_____

_____

Personajes

Liz, una niña de siete años

Ray, su hermano de diez años

Madre

Escena 1

ESCENARIO: Liz y Ray están en un museo en Hot Springs, Dakota del Sur.

HACER Y RESPONDER PREGUNTAS Ray dice que quiere ver un mamut vivo. ¿Qué pregunta podrías hacer acerca de lo que ocurrirá en la obra?

_____

_____

_____

1 **Ray:** Sabía que este era un gran lugar para investigar lo que necesito para escribir el informe de la escuela.

Liz: *(Mira un enorme esqueleto).* ¡Vaya! Es casi como uno real.

Ray: Por eso le insistí tanto a mamá para que nos trajera. ¡Es un esqueleto real! Ojalá pudiera ver un mamut vivo.

Liz: Qué lástima que estén extintos.

5 **Ray:** Hace mucho tiempo, aquí había un gran estanque de agua cálida.

Liz: ¿Por eso se llama Hot Springs? Eso quiere decir en inglés, ¿no?

Ray: Correcto. Hace unos 26,000 años, el punto en el que ahora está el museo era una colina. Pero en un momento colapsó una cueva subterránea, y la tierra se hundió. Se formó un profundo socavón, que se llenó con el agua de un manantial cálido.

Liz: ¿Cómo llegaron los mamuts ahí dentro?

Ray: El agua estaba cálida todo el año. Muchos mamuts y otros animales entraban en el estanque para tomar agua, pero después no podían salir. Los lados eran demasiado empinados. Los animales morían porque se ahogaban o porque no podían conseguir alimento.

10 **Liz:** ¿Dónde está el agua ahora?

Ray: Con el tiempo, el estanque se fue llenando de tierra. Los huesos de los animales atrapados quedaron protegidos bajo el barro por miles y miles de años. Ahora hay personas que hacen excavaciones para sacarlos. Aquí había unos cincuenta mamuts atrapados y muchos otros animales, como lobos, camellos y un oso gigante.

Liz: ¡Pobres animales! ¡Me da pena imaginarlos atrapados! ¡No me gustaría haber estado allí!

Ray: A mí sí. Daría mi brazo derecho para ver a todos esos mamuts con vida. Podría usar el teléfono de mamá para tomar una foto. ¡Mi informe sobre mamuts sería genial!

Liz: Sí, te pondrían la calificación máxima. Siempre y cuando pudieras salir del estanque...

15 **Ray:** Ey, ¡mira esto! *(Ray se acerca al diagrama que hay en una pared cercana. El diagrama dice "Por favor, no tocar". Ray lee).* Este diagrama muestra qué pasó con los mamuts a lo largo del tiempo. *(Ray señala la primera parte del diagrama. Un cartel dice "Hace 26,000 años").* Este es el momento en el que se hundió la tierra y se formó el estanque.

LENGUAJE NO LITERAL ¿Qué quiere decir Ray cuando dice que daría su brazo derecho por ver a los mamuts con vida?

_____

_____

_____

SECUENCIA ¿Qué sucesos llevaron a que se encontraran huesos de mamut en Hot Springs? Haz una lista con la secuencia de sucesos que Ray describe en el diálogo.

_____

_____

_____

CARACTERÍSTICAS DE LOS PERSONAJES Liz dice que siente pena por los animales atrapados en el socavón. ¿Qué te dice eso acerca de Liz?

_____

_____

_____

Liz: ¡Este es el momento en el que los mamuts murieron en el agua! *(Liz toca la imagen de un mamut en el diagrama).*

Ray: ¡Ey! ¿Qué pasa? ¿Qué es ese ruido?

Liz: ¡No sé! ¡No puedo ver nada! ¡Siento que me estoy cayendo!

(Liz y Ray hacen que caen por el aire y llegan al suelo).

Escena 2

Ray: ¿Qué pasó?

20 **Liz:** ¿Dónde está el museo?

Ray: ¿Dónde estamos?

Liz: Es solo una colina. Y hay nieve en el suelo. Y ahí hay algo gigante… se ve lanudo. Oh, no. ¿Qué es eso?

Ray: Bueno, si se parece a un elefante pero tiene pelo largo y café…

Liz: …y colmillos largos y afilados que se curvan en las puntas…

SECUENCIA DE SUCESOS
¿Qué pasa exactamente antes de que Ray diga "Ey, ¿qué pasa?".

_____

_____

_____

HACER INFERENCIAS
Luego de que Liz y Ray caen al suelo, ¿cómo cambia el lugar en el que están? ¿Qué inferencia puedes hacer acerca de lo que ocurrió?

_____

_____

_____

CLAVES DEL CONTEXTO ¿Qué palabras del diálogo te ayudan a entender lo que significa la palabra carnívoros? Enciérralas en un círculo.

25 **Ray:** ¡Es un mamut lanudo!

(Liz y Ray empiezan a caminar hacia atrás juntos, muy lentamente).

Liz: ¡Creo que viajamos al pasado! ¡Hasta la Era de Hielo! *(Parece asustada).* ¿Los mamuts son carnívoros?

Ray: No comen carne. *(De repente, Ray también parece asustado. Señala en otra dirección).* ¡Pero ese oso gigante sí!

Liz: ¡Y viene hacia aquí!

Ray: ¿Qué está pasando con el suelo? ¡Está empezando a temblar! ¡Mira! ¡Se está abriendo una grieta!

30 **Liz:** ¡Oh, no! ¡Se formará un socavón!

Ray: ¡Rápido! ¡Dibuja un cuadrado grande en la nieve!

Liz: ¿Con qué?

Ray: ¡Con tu dedo! ¡Con tu dedo!

(Liz dibuja un cuadrado grande en el suelo con el dedo).

Liz: Listo. ¿Ahora qué?

35 **Ray:** Usa el dedo para escribir el año dentro del cuadrado.

Liz: ¿Qué año?

Ray: El año en el que estábamos antes de que pasara esto. ¡Rápido!

MOTIVACIÓN Al principio de la obra, Ray dice que quiere ver un mamut vivo. ¿Crees que sigue teniendo la misma motivación en este momento de la obra? Explica tu respuesta.

_____

_____

_____

OBRA DE TEATRO: ESCENAS ¿Qué pasa en la segunda escena que hace que el relato sea más interesante?

_____

_____

_____

LENGUAJE NO LITERAL Una era de hielo puede durar miles de años. ¿Cree Liz que necesitarán miles de años para explicar a su madre dónde estaban? ¿Está usando lenguaje literal o no literal?

_____

_____

HACER INFERENCIAS
¿Por qué crees que Liz y Ray no cuentan su aventura a su madre?

_____

_____

_____

PUNTO DE VISTA
¿Cómo se sienten Liz y Ray acerca de su aventura? ¿Cómo te sentirías si pudieras viajar en el tiempo? ¿Qué cosas te gustaría ver?

_____

_____

_____

(Liz escribe la fecha y se para con Ray dentro del cuadrado. Una vez más, parecen caer por el aire hasta llegar al suelo).

Liz: ¡Volvimos al museo!

Ray: ¡Qué alivio!

40 **Liz:** Estuvo cerca.

(Entra la madre).

Madre: ¿Qué les pasó? Los perdí de vista por un instante. Tengo los boletos para el espectáculo de dinosaurios que habrá más tarde, pero ahora es momento de almorzar. ¿Dónde se habían metido?

Liz: ¿Qué vamos a comer? Espero que no sea mamut.

Ray: Estuvimos cerca de ser el almuerzo.

Madre: ¿Cómo? ¿De qué hablas?

45 **Ray:** Me quedé petrificado.

Madre: ¡Petrificado! ¿Qué te asustó?

Liz: Oh… creo que podríamos pasar toda una era de hielo tratando de explicarte. Vamos a comer. *(Ray y Liz se ríen).*

Preguntas para comentar y afianzar los estándares

Comenta la siguiente pregunta con tus compañeros. Luego, anota la respuesta en los espacios en blanco.

1. ¿Cómo se diferencian los sucesos de la escena 1 de "Una aventura con mamuts" de los sucesos de la escena 2? ¿Qué escena te parece más interesante? ¿Por qué? Respalda tus respuestas con detalles de la obra.

_____

_____

_____

_____

_____

_____

_____

_____

_____

_____

_____

Comprobar la comprensión

1. ¿Crees que la visita de Ray al museo lo ayudará a escribir un buen informe para la escuela? Explica tu respuesta.

_____

_____

_____

2. "Una aventura con mamuts" incluye una aventura real y una aventura de fantasía. Explica cuál es la aventura real y cuál es la aventura de fantasía.

_____

_____

_____

3. ¿Cuál es la pregunta que nunca se responde en "Una aventura con mamuts"? ¿Mejoraría la obra si se respondiera a esa pregunta? Explica tu respuesta.

_____

_____

_____

Leer por tu cuenta

Lee por tu cuenta otra obra de teatro, "Polvo de estrellas en el ático". Ten en cuenta lo que aprendiste en esta lección y comprueba tu comprensión.

Leer poesía

Observa a este corredor que acaba de ganar una carrera. ¿Cómo podría un poeta describir sus sentimientos en un poema?

PREGUNTA ESENCIAL

¿De qué manera los poemas cuentan historias y comunican sentimientos sobre el mundo?

Considerar ▶

¿En qué se diferencia un poema de un cuento?

¿Cómo se usan la rima y el ritmo en la poesía para contar una historia?

fragmento de

El flautista de Hamelín

Robert Browning (adaptación de Lilia Mosconi)

POESÍA En la poesía se usan palabras cuidadosamente elegidas para expresar ideas y sentimientos o para contar una historia. La rima, el ritmo y las descripciones vívidas son elementos característicos de la poesía. ¿Cómo describe el poeta el pueblo de Hamelín?

CLAVES DEL CONTEXTO Las claves del contexto son las palabras cercanas a una palabra desconocida, que brindan claves sobre su significado. Observa la palabra *alimañas* en el último verso de esta página. ¿Cuál es la primera palabra de la página siguiente? Lee en la página siguiente la descripción de lo que hacen las ratas. Estas son claves. ¿Qué significa la palabra *alimañas*?

1 En un valle verde, cálido y florido,
   con prados de aroma a canela y jazmín,
   junto a un río ancho, profundo y bravío,
   estaba el pueblito de Hamelín.

5 Hace unos trescientos o quinientos años
   ocurrió una cosa de lo más extraña:
   sus calles, sus fuentes, sus casas,
   sus caños, fueron invadidos
   por las alimañas.

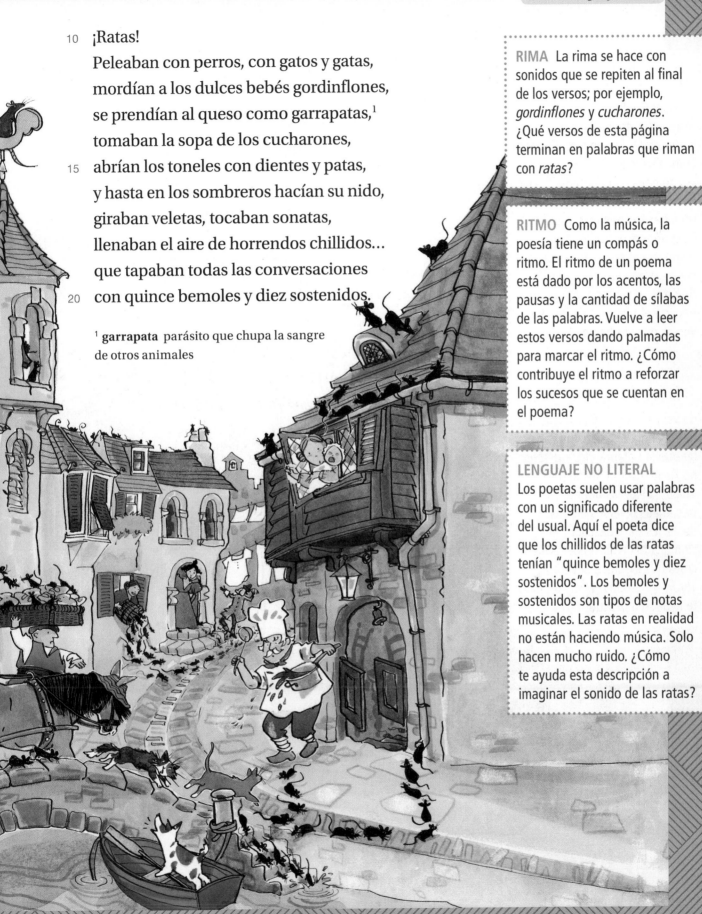

10 ¡Ratas!
Peleaban con perros, con gatos y gatas,
mordían a los dulces bebés gordinflones,
se prendían al queso como garrapatas,[1]
tomaban la sopa de los cucharones,
15 abrían los toneles con dientes y patas,
y hasta en los sombreros hacían su nido,
giraban veletas, tocaban sonatas,
llenaban el aire de horrendos chillidos...
que tapaban todas las conversaciones
20 con quince bemoles y diez sostenidos.

[1] **garrapata** parásito que chupa la sangre
de otros animales

RIMA La rima se hace con sonidos que se repiten al final de los versos; por ejemplo, *gordinflones* y *cucharones*. ¿Qué versos de esta página terminan en palabras que riman con *ratas*?

RITMO Como la música, la poesía tiene un compás o ritmo. El ritmo de un poema está dado por los acentos, las pausas y la cantidad de sílabas de las palabras. Vuelve a leer estos versos dando palmadas para marcar el ritmo. ¿Cómo contribuye el ritmo a reforzar los sucesos que se cuentan en el poema?

LENGUAJE NO LITERAL
Los poetas suelen usar palabras con un significado diferente del usual. Aquí el poeta dice que los chillidos de las ratas tenían "quince bemoles y diez sostenidos". Los bemoles y sostenidos son tipos de notas musicales. Las ratas en realidad no están haciendo música. Solo hacen mucho ruido. ¿Cómo te ayuda esta descripción a imaginar el sonido de las ratas?

**HACER Y RESPONDER
PREGUNTAS** Hacerte
preguntas y buscar las
respuestas puede ayudarte a
comprender lo que lees. Cuando
comenzaste a leer el poema, tal
vez te hayas preguntado: "¿Qué
cosa extraña podría ocurrir en
un lugar tan bello y tranquilo?".
Después encontraste la
respuesta al seguir leyendo: la
cosa extraña era una invasión
de ratas. ¿Qué pregunta podrías
hacerte al terminar de leer los
versos de esta página?

CLAVES DEL CONTEXTO La
descripción de una protesta con
gente enojada te da una clave
de que la palabra *incompetente*
no tiene un significado positivo.
Vuelve a leer las últimas
tres líneas o versos en busca
de claves para descubrir el
significado de *librarnos*. ¿Qué
crees que significa el verbo
librar? ¿Qué claves del contexto
te ayudan a descubrirlo?

Un día se juntó un remolino de gente
furiosa en la plaza, frente a la alcaldía,
gritando: "¡Qué alcalde más incompetente![2]
¡Seguro que duerme de noche y de día!
25 ¿Y los concejales,[3] a quién creen que engañan?
¡Sabemos que no han dedicado un instante
a pensar en librarnos de las alimañas!".

[2] **incompetente** que no puede cumplir con su tarea o
competencia

[3] **concejales** miembros de la asamblea municipal

ESTROFAS En un poema narrativo, los sucesos suelen organizarse en estrofas. Las líneas de las estrofas son los versos. Cada estrofa se basa en las estrofas anteriores para contar la historia y crear suspenso con el fin de mantener la atención del lector. Estas estrofas presentan el problema de los habitantes de Hamelín. ¿Cuál es el problema? ¿Qué crees que sucederá a continuación?

"¿Creen que por ser unos viejos obesos
cobrarán su dieta[4] para no hacer nada?
30 ¡Muévanse, señores! ¡Devánense el seso![5]
¡O los despachamos de aquí a las patadas!"
¡Ay, cómo temblaban las autoridades!
¡Qué consternación había en sus miradas!

[4] **dieta** sueldo de un concejal

[5] **devanarse el seso (o los sesos)** pensar intensamente en algo, buscar solución a un problema difícil

CLAVES DEL CONTEXTO En los versos de esta página, los habitantes del pueblo amenazaron con "despachar" al alcalde y a los concejales a las patadas. Al oír esto, las autoridades "temblaban". ¿Por qué temblaban? ¿Cómo se sentían? ¿Cómo te ayuda esto a entender qué significa *consternación*?

Comprobar la comprensión

Vuelve a leer el fragmento de "El flautista de Hamelín" y observa cómo el poeta describe el pueblo y sus habitantes. Saca conclusiones observando con atención las palabras del poeta. Responde a las preguntas de abajo con detalles del poema.

A. ¿Son imaginarios o reales los sucesos de este poema?	¿Cómo te das cuenta?
Los sucesos son imaginarios.	La descripción suena como de un cuento de hadas. Las ilustraciones son graciosas y no dan miedo.
B. ¿Qué piensa el poeta de las ratas?	¿Cómo te das cuenta?
No le gusto ratas. Ellos son animales que muede	Chupaban la sangre y prendian el queso como garrapatas.
C. ¿Qué opinión tienen los habitantes de Hamelín sobre las autoridades?	¿Por qué tienen esa opinión?
Los habitantes estan tristes y enojados	El rey no ayudaba a los habitates.
D. ¿Cómo se sienten las autoridades al final de esta sección del poema?	¿Por qué se sienten así?
temblaban los reyes	Loo reyes se asustaron porque se enolo los

abitates

Vocabulario

Usa el siguiente mapa de palabras para definir y usar una de las palabras de vocabulario resaltadas de la lectura "Compartir y aprender" u otra palabra que te indique tu maestro.

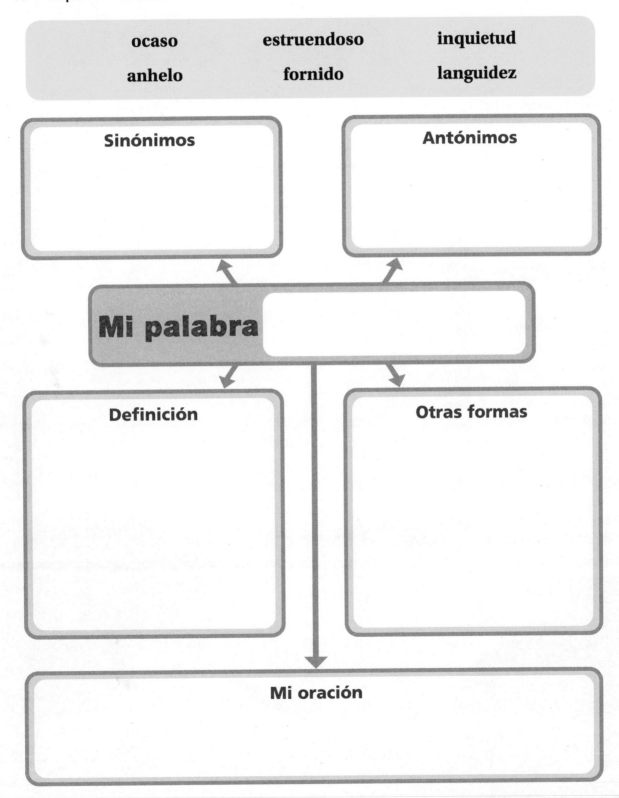

| ocaso | estruendoso | inquietud |
| anhelo | fornido | languidez |

Sinónimos

Antónimos

Mi palabra

Definición

Otras formas

Mi oración

Considerar ▶ ¿Cómo expresan las canciones y los poemas los sentimientos de sus creadores?

¿En qué se parecen las canciones y los poemas?

Pasa el río

María Furquet

HACER Y RESPONDER PREGUNTAS ¿Quién crees que es el hablante en este poema? ¿Qué pregunta podrías hacerle?

_____

_____

_____

CLAVES DEL CONTEXTO Busca la palabra ocaso en el verso 6. ¿Qué palabras te dan una clave para descubrir el significado de *ocaso*? Encierra esas palabras en un círculo y únelas a *ocaso* con una flecha.

ESTROFAS "Pasa el río" está compuesta en estrofas de 5 versos. Traza una línea para separar las dos estrofas en esta página.

1 Pasa el sol por una nube.
   Pasa el agua por la arena.
   Pasa el río por su lecho
   y no se pasa mi pena, ay,
5 no se pasa mi pena.

   Baja el sol en el ocaso.
   Baja el río hasta la mar.
   Y yo bajo la mirada
   cuando te veo pasar, ay,
10 cuando te veo pasar.

HACER Y RESPONDER PREGUNTAS Cuando leíste las tres primeras líneas de esta canción, tal vez te preguntaste por qué el hablante está tan triste. ¿Crees que en la cuarta estrofa encuentras la respuesta? ¿Qué otra pregunta podrías hacerte?

Calla el río entre las copas.
Callan las aves en vuelo.
Calla el aire en el otoño,
mas no se calla mi anhelo, ay,
15 mas no se calla mi anhelo.

Llora el árbol sobre el río.
Llora el pájaro en la rama.
Yo lloro porque te amo
y tú no lloras ni me amas, ay,
20 tú no lloras ni me amas.

ESTROFAS Todas las estrofas tienen una estructura similar y en cada una se describe una acción diferente. ¿Qué ocurre con cada acción en los tres primeros versos de la estrofa? ¿Qué ocurre en los últimos dos?

REPETICIÓN ¿Qué se repite al principio de los primeros versos? ¿Qué otra repetición encuentras en cada estrofa? ¿Cómo te ayudan las repeticiones a entender lo que cuenta el poema?

Considerar ▶ ¿Cómo describe un poeta los elementos de la naturaleza?

¿Cómo se describe el viento en este poema?

Viento

Robert Louis Stevenson

HACER Y RESPONDER PREGUNTAS Al comienzo del poema, tal vez te preguntes: ¿A quién le habla el poeta? Encierra en un círculo los versos que responden a esta pregunta.

LENGUAJE NO LITERAL
Observa el verso 4. En el poema se compara el ruido del viento con el sonido de faldas largas "que van rozando el pasto". ¿En qué se parecen ambas cosas?

_____

_____

_____

1 Te vi elevar las cometas en vuelo
   e impulsar a las aves por el cielo.
   Y en todas partes pude oír tus pasos,
   como faldas que van rozando el pasto.
5 ¡Oh, viento, que soplas todo el día!
   ¡Oh, viento, qué estruendosa melodía!

   Hoy vi todas las cosas que hiciste,
   pero tú todo el tiempo te escondiste.
   Oí tu alarido; tu empuje sentí,
10 pero no he logrado ver nada de ti...
   ¡Oh, viento, que soplas todo el día!
   ¡Oh, viento, qué estruendosa melodía!

Oh, viento soplador, frío y fornido,[1]

¿acaso eres joven o has envejecido?

15 ¿Eres una bestia que anda bajo el sol?

¿O apenas un niño más fuerte que yo?

¡Oh, viento, que soplas todo el día!

¡Oh, viento, qué estruendosa melodía!

[1] **fornido** fuerte, corpulento

LENGUAJE NO LITERAL
Observa el verso 15. ¿En qué se parece el viento a una bestia?

_____

_____

_____

DESCRIPCIÓN El poeta se pregunta qué podría ser el viento. Subraya las descripciones del viento que hace en cada pregunta.

_____

_____

_____

¿Cómo puede un poema describir una estación del año?

¿Qué sentimientos expresa la poeta al hablar del otoño?

Pensamientos de otoño

María Monvel (fragmento)

HACER Y RESPONDER PREGUNTAS Una pregunta que podrías hacerte es: ¿Por qué la poeta habla de "tristeza de las cosas"? ¿Cómo responderías a esa pregunta?

_____

_____

_____

LENGUAJE NO LITERAL La poeta dice que los vientos "roban a los parques sus tapices de oro". ¿Qué está describiendo en realidad?

_____

_____

_____

1   Inquietud de otoño,
     soledad de los parques,
     tristeza de las cosas,
     languidez[1] de los árboles,

5   cielos de esmaltes grises...
     Otoño, oro y blancura,
     ¡tu sol es blanco y frío
     como la luna!...

     Nacen en ti los vientos,
10 hijos son del ogro,
     y roban a los parques
     sus tapices de oro.

[1] **languidez** debilidad, falta de energía

Preguntas para comentar y afianzar los estándares

Comenta las siguientes preguntas con tus compañeros. Luego, anota las respuestas en los espacios en blanco.

1. ¿Por qué crees que los autores de "Pasa el río", "Viento" y "Pensamientos de otoño" describen elementos de la naturaleza como si fueran seres humanos? Respalda tu respuesta con detalles del texto.

Comprobar la comprensión

1. En el poema "Pasa el río", la autora describe cosas que pasan y después dice que su pena "no se pasa". ¿Qué diferencia hay entre los significados de "pasar" en estos ejemplos? Vuelve a leer el poema y usa detalles para respaldar tu respuesta.

2. En "Viento", el poeta habla directamente con el viento, como si fuera una persona, aunque en realidad no lo ve. ¿Cómo dice que sabe que el viento está allí? Usa detalles del poema para respaldar tu respuesta.

3. Los poetas usan palabras para "pintar" cuadros. ¿Cómo usa María Monvel las palabras para pintar un cuadro del otoño? Usa detalles del poema para respaldar tu respuesta.

Leer por tu cuenta

Lee otro poema por tu cuenta. Aplica lo que has aprendido en esta lección y comprueba tu comprensión.

Leer textos técnicos

Observa a esta niña con su proyecto de ciencias. ¿Por qué crees que usó diagramas e imágenes?

PREGUNTA ESENCIAL

¿De qué manera los textos técnicos hacen que resulte más fácil comprender determinada información?

Considerar ▶ ¿Qué es Internet?

¿Cómo se usa Internet para buscar información?

Usar Internet

1   La Antártida es el continente más meridional de la Tierra. El Polo Sur se encuentra en la Antártida. Es un continente tan frío que está casi totalmente cubierto durante todo el año por un casquete gigante de hielo.

Usa Internet para buscar información sobre cualquier tema.

Imaginemos que debes escribir un informe sobre el casquete de hielo de la Antártida y te diriges a una computadora. Internet es una buena fuente de información. En Internet, hay sitios web que brindan información sobre temas específicos. Pero hay muchísimos sitios web sobre la Antártida. ¡No te alcanzará el tiempo para leerlos todos! Entonces, comienza la investigación con la lectura de una enciclopedia en línea.

Paso 1   Buscar enciclopedias en línea

Abre un motor de búsqueda de Internet. Para buscar información acerca de un tema, debes usar palabras clave. Las palabras clave son palabras o frases que describen información sobre el tema. Los motores de búsqueda revisan millones de sitios web en busca de información que coincida con tus palabras clave.

Escribe "enciclopedias" en la casilla del motor de búsqueda y haz clic en *Buscar*. Aparecerán en la pantalla los nombres de muchas enciclopedias diferentes. Busca una enciclopedia que tú o tu maestro conozcan. Haz clic en el enlace.

5   Busca una casilla de búsqueda en la parte superior de la página. Escribe "casquete de hielo" en la casilla y haz clic en *Buscar*. Hallarás una lista de artículos, imágenes y películas.

Paso 2 · Limitar la búsqueda

Si quieres aprender más acerca de un tema, debes limitar la búsqueda. Tal vez quieras aprender más acerca del casquete de hielo y la Antártida. Primero, revisa lo que leíste en la enciclopedia. Luego, busca la palabra "Antártida" subrayada y en color. Eso es un enlace. Cuando le hagas clic, se abrirá una página relacionada con la Antártida. Si no ves ningún enlace, vuelve a la casilla de búsqueda y escribe "Antártida".

Paso 3 · Buscar más fuentes

Las enciclopedias no son el único lugar donde se puede buscar información. Puedes hallar información en muchos tipos de sitios web. Regresa a la página del motor de búsqueda para practicar el uso de otros tipos de sitios web. Esta vez, escribe las palabras "casquete de hielo Antártida".

No toda la información que hay en Internet es correcta. ¿Cómo puedes saber en qué enlaces confiar? Busca páginas web escritas por expertos. Los expertos son personas que saben mucho sobre cierto tema. Las direcciones web de los expertos suelen terminar con *.gov*, *.org* o *.edu*.

Si necesitas ayuda, llama a tu maestro o al bibliotecario de la escuela. Ellos pueden brindarte una lista de sitios web sobre un tema. También puedes buscar información en libros. Puede ser que los libros contengan una lista de sitios web para visitar y obtener más información. Da vuelta la página para observar una página web confiable sobre la Antártida.

SECUENCIA Las palabras de secuencia sirven para conectar las ideas de un texto. Palabras como *primero, luego* y *por último* indican que el autor describe las cosas en un orden temporal. ¿Qué palabras de secuencia puedes hallar en el primer párrafo de esta página? ¿Qué te indican?

RÓTULOS Los rótulos son explicaciones breves que identifican un dibujo o una fotografía y las partes que contiene. Mira el mapa de esta página. ¿Cuáles son los rótulos del mapa?

USAR MAPAS Un mapa sirve para comprender dónde está ubicado un lugar en relación con otros lugares. Si observas el mapa de abajo, puedes ver que la Antártida se encuentra al sur de todos los demás continentes del mundo. ¿Qué masas de agua rodean a la Antártida? ¿Qué masa continental se encuentra más cerca de la Antártida?

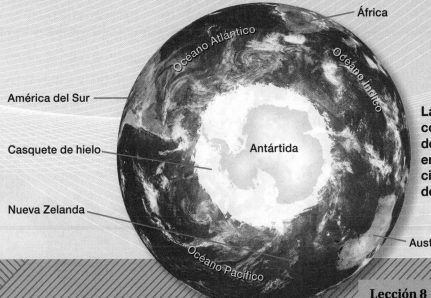

África
Océano Atlántico
Océano Índico
América del Sur
Casquete de hielo
Antártida
Nueva Zelanda
Océano Pacífico
Australia

La Antártida es el continente más meridional de la Tierra. Está cubierta en más de un 90 por ciento por un casquete de hielo.

USAR FOTOS Las fotos agregan información al contenido del texto. En la foto de esta página, se puede observar el aspecto del casquete de hielo de la Antártida. ¿Cómo agrega información a lo que ya leíste en el texto?

HACER Y RESPONDER PREGUNTAS Los lectores hacen y responden preguntas sobre un texto para demostrar que comprendieron la lectura. Mira el párrafo 12. ¿Cómo se llaman las zonas de roca desnuda de la Antártida?

CAUSA Y EFECTO La relación de causa y efecto indica que un suceso da lugar a otro. La causa provoca que ocurra el efecto, y el efecto es lo que ocurre como resultado. Mira el último párrafo de la página. ¿Cuál es el efecto de que un iceberg se acerque a aguas más cálidas?

Antártida

10

La Antártida, el continente más meridional del planeta, cubre casi 5.5 millones de millas cuadradas. Es el quinto continente más grande del mundo. La palabra *Antártida* significa "lo opuesto al Ártico". El Ártico es la zona que rodea al Polo Norte.

El casquete de hielo cubre el 98 por ciento de la Antártida.

La Antártida es la zona más fría y ventosa de la Tierra. La temperatura promedio de la Antártida es de –30 °F (–34.4 °C). La temperatura más baja de la historia se registró en el Polo Sur en 1983 y fue de –128.6 °F (–89.2 °C).

Casquete de hielo

Una gigantesca capa de hielo cubre el 98 por ciento de la Antártida. El otro 2 por ciento es roca desnuda. Estas zonas rocosas se denominan *oasis* y se encuentran a lo largo de la costa. En la capa de hielo se encuentra casi el 70 por ciento del agua dulce del mundo. Sin embargo, en el continente nunca llueve y nieva muy poco. El grosor promedio del casquete de hielo es de 1.5 millas. Pero el hielo no es sólido en todos lados. En los márgenes de la Antártida, hay glaciares gigantes y pedazos de hielo que constantemente se rompen y caen al océano. Esos fragmentos de hielo se convierten en icebergs. Los icebergs son un peligro para los barcos porque pueden permanecer ocultos bajo el agua. Si un barco choca contra un iceberg, puede resultar muy dañado. Los icebergs se derriten lentamente a medida que se acercan a aguas más cálidas.

Vida animal y vegetal

En la Antártida casi no hay plantas ni animales porque la mayoría de las formas de vida no logran desarrollarse en temperaturas tan bajas. Sin embargo, en zonas cercanas a la costa, que no están cubiertas de hielo, crecen algunos musgos, plantas y flores.

La Antártida es el hogar de más de cuarenta tipos de aves, como los pingüinos. Diferentes variedades de pingüinos, como el emperador y el barbijo, viven en la costa y en algunas de las islas alrededor de la Antártida. El frío les sienta de maravilla. En el agua que rodea el casquete de hielo también nadan focas y ballenas. Además, podemos hallar bacalaos y otros peces de aguas heladas.

Población

15   Los humanos comenzaron a explorar la Antártida en 1895. Dos famosos exploradores británicos viajaron a la Antártida entre 1902 y 1915. Se llamaban Robert F. Scott y Henry Shackleton. Exploraron zonas de la Antártida muy alejadas de la costa. El 14 de diciembre de 1911, Roald Amundsen se convirtió en la primera persona en llegar al Polo Sur.

Todos los años, cientos de investigadores y científicos viajan a la Antártida para estudiar el clima y los casquetes de hielo. Los científicos usan herramientas para perforar el hielo. Mediante el estudio de las muestras que obtienen, los científicos aprenden más acerca del cambio climático. La Antártida no tiene habitantes permanentes. Es casi imposible vivir allí debido a las temperaturas bajo cero, los fuertes vientos y las ventiscas.

ENCABEZAMIENTOS Los encabezamientos indican al lector de qué se trata cada parte de un texto. ¿Cómo te ayuda a comprender lo que estás a punto de leer el encabezamiento "Vida animal y vegetal", en la parte superior de esta página?

HACER Y RESPONDER PREGUNTAS ¿Qué pregunta te podrías hacer al leer el encabezamiento "Vida animal y vegetal"?

Comprobar la comprensión

Vuelve a mirar el ejemplo de página web en "Usar Internet".

Con la información de la página web, escribe un efecto al lado de cada una de las causas que se enumeran en la tabla.

Causas		Efectos
La Antártida tiene temperaturas bajo cero, vientos fuertes y ventiscas.	→	
El hielo cubre el 98% del continente.	→	
Pedazos del casquete de hielo, llamados icebergs, se rompen y caen al océano.	→	
Los científicos viajan para estudiar el casquete de hielo y el clima.	→	

Vocabulario

Usa el siguiente mapa de palabras para definir y usar una de las palabras de vocabulario resaltadas de la lectura "Compartir y aprender" u otra palabra que te indique tu maestro.

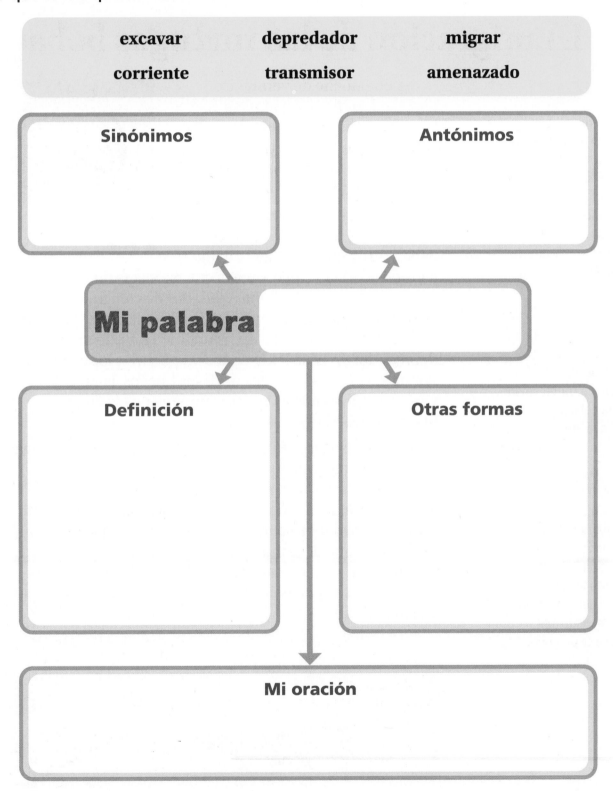

excavar   depredador   migrar

corriente   transmisor   amenazado

Sinónimos

Antónimos

Mi palabra

Definición

Otras formas

Mi oración

Considerar ▶ ¿Qué herramientas usan los científicos para estudiar a los animales?

¿Por qué es importante comprender cómo afectamos al mundo que nos rodea?

La migración de las tortugas bobas

CLAVES DEL CONTEXTO
¿Qué palabras del párrafo 2 te ayudan a comprender el significado de la palabra excavar? Enciérralas en un círculo. Luego, encierra en un círculo las palabras que sirven para descubrir el significado de depredadores.

SECUENCIA Subraya las palabras y frases de secuencia del párrafo 2 que ayudan a contar cómo la tortuga boba pone los huevos en la arena.

HACER Y RESPONDER PREGUNTAS Vuelve a mirar el párrafo 3. ¿Qué peligros enfrentan las crías cuando nacen? Escribe la respuesta en las líneas de abajo. Luego, subraya la parte del texto que responda a la pregunta.

_____

_____

_____

1   Es una noche de verano en Florida. Las olas rompen contra la orilla arenosa. De repente, en la superficie del mar oscuro, aparece una enorme figura que nada hasta la playa. Es una tortuga boba madre.

Las tortugas bobas ponen los huevos en la arena.

    La tortuga se arrastra con torpeza por la arena, moviendo sus aletas delanteras y traseras. Elige un lugar lejos de la orilla. Luego, excava con las aletas un hoyo profundo en la arena. Pone alrededor de cien huevos en el hoyo. Los huevos parecen pelotitas de golf. Después, cubre los huevos con arena. La arena ocultará los huevos de depredadores como las aves, los mapaches y los cangrejos. Por último, al terminar de cubrir los huevos, la madre vuelve a atravesar la playa y se sumerge en el agua. Los huevos se quedan solos.

    Dos meses después, nacen las crías. Cada cría o tortuga bebé tiene un pequeño diente en el hocico que usa para romper el cascarón. Al salir del cascarón, las crías se arrastran fuera del nido y se mueven con dificultad hasta el agua. Pero deben ser rápidas. Hay aves, mapaches y cangrejos que deambulan por la playa y esperan la oportunidad para devorarlas. Muchas tortugas bobas no sobreviven. Las pocas afortunadas que alcanzan el agua se alejan nadando.

Esta cría se dirige hacia la seguridad del océano.

Muchos años después, las tortugas hembra regresan a la misma playa que abandonaron cuando eran crías. Las tortugas adultas migran miles de millas para poner los huevos en la misma playa donde nacieron.

5 ¿Por qué las tortugas migran? ¿Cómo saben adónde ir? ¿Adónde van las tortugas luego de poner los huevos? El patrón de migración de las tortugas bobas fue un misterio durante muchos años hasta que los científicos desarrollaron diferentes maneras de rastrear a estas tortugas durante toda su vida.

¿Adónde van?

En los últimos tiempos, los científicos han comenzado a comprender mejor la migración de las tortugas luego de su nacimiento. Al llegar al agua, las crías se alejan de la costa nadando lo más rápidamente posible. Así pueden escapar de las aves y los peces que cazan cerca de la orilla. Las crías nadan uno o dos días y luego entran en la corriente del Golfo. La corriente las empuja hacia el norte, bordeando la costa de los Estados Unidos. En la corriente también flotan muchas algas marinas, que les sirven a las crías de alimento y escondite hasta que se conviertan en adultas. Para entonces, ya serán demasiado grandes para ser comida de los depredadores.

CLAVES DEL CONTEXTO
¿Qué palabras te ayudan a comprender el significado de la palabra migrar? Enciérralas en un círculo.

ENCABEZAMIENTOS Lee el encabezamiento de esta página. ¿Qué crees que aprenderás al leer esa sección?

_____

_____

_____

Los científicos no saben con seguridad dónde pasan sus primeros años de vida las crías de las tortugas bobas.

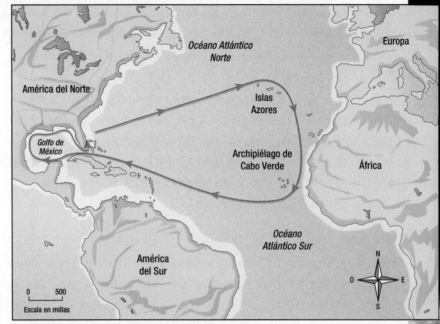

En este mapa se muestra el patrón de migración de las tortugas bobas.

Durante los siguientes cinco a diez años, las tortugas migran a Europa a través del océano Atlántico. Luego, nadan hacia el sur, en dirección a la costa oeste de África. Finalmente, la corriente lleva a las tortugas de regreso por el Atlántico. Al terminar la travesía, las tortugas llevan recorridas 8,000 millas y regresan al lugar donde comenzó todo.

Tras la pista de la tortuga

Como las tortugas bobas pasan la mayor parte de su vida bajo el agua, es difícil rastrearlas. Además, migran miles de millas en busca de alimento. Los científicos desarrollaron muchos métodos para rastrear a estas tortugas.

Uno de los métodos consiste en usar satélites. Los científicos adhieren al caparazón de una tortuga madre un dispositivo de alta tecnología. Ese dispositivo está equipado con un transmisor de radio. Cada vez que la tortuga sale a la superficie para respirar, el transmisor envía una señal a un satélite que orbita la Tierra. El satélite envía la información de regreso a la Tierra. Luego de un año, el transmisor deja de funcionar y se desprende de la tortuga.

Los satélites envían información sobre las tortugas bobas a los científicos en la Tierra.

CAUSA Y EFECTO Vuelve a leer el párrafo 11. ¿Por qué crees que los científicos ofrecen recompensas para que les envíen de regreso las etiquetas?

_____

_____

_____

HACER Y RESPONDER PREGUNTAS Vuelve a leer el párrafo 12. ¿Por qué los científicos extraen muestras de sangre de las tortugas bobas?

_____

_____

_____

10   Los científicos usan un programa de computadora para organizar la información que les envía el satélite y rastrear a la tortuga. Así pueden observar por dónde viaja la tortuga y conocer la velocidad a la que nada. También pueden saber adónde va la tortuga para alimentarse.

Otro método de rastreo consiste en colocar una etiqueta de identificación en una de las aletas de la tortuga. Cada etiqueta tiene un número y un mensaje en el cual los científicos piden a quien encuentre la etiqueta que la devuelva y ofrecen a cambio una pequeña recompensa. Los científicos usan las etiquetas para trazar un mapa de los lugares donde estuvieron las tortugas.

El tercer método que se usa para estudiar la migración de las tortugas bobas consiste en tomar muestras de sangre. Los científicos comparan la sangre de una tortuga con la de otras tortugas para saber si están relacionadas. Como siempre regresan a la misma playa para poner los huevos, todas las tortugas de una determinada playa deberían tener sangre similar. Los científicos analizan muestras de sangre para conocer el lugar de nacimiento de las tortugas.

CAUSA Y EFECTO ¿Qué crees que sucedería si las personas no intentaran proteger a las tortugas?

_____

_____

_____

Muchas tortugas quedan atrapadas por accidente en las redes de pesca.

La protección de las tortugas

Las tortugas bobas son una especie amenazada. Esto significa que ya no quedan muchas. Los científicos saben que comprender los patrones de migración de las tortugas les permitirá protegerlas mejor. Si se supiera dónde les gusta nadar, las personas podrían tener más cuidado con las tortugas. Los navegantes podrían tener cuidado de no chocarlas con sus embarcaciones. Al conocer las zonas por donde nadan las tortugas, los científicos saben dónde hallan su alimento. Pueden advertir a los pescadores para que tengan cuidado al arrojar sus redes y eviten atraparlas por accidente. Los gobiernos también podrían prohibir la pesca en las zonas donde las tortugas se alimentan.

Los científicos saben mucho más que antes acerca de las tortugas. Gracias al uso de la tecnología, saben que las tortugas migran a través del Atlántico antes de regresar a su hogar para poner los huevos. Si estudiamos la migración de las tortugas, podemos colaborar para protegerlas y evitar que desaparezcan para siempre.

Preguntas para comentar y afianzar los estándares

Comenta las siguientes preguntas con tus compañeros. Luego, anota las respuestas en los espacios en blanco.

1. ¿Cuál es el propósito de los primeros cuatro párrafos de "La migración de las tortugas bobas"? ¿En qué se diferencian del resto de la lectura? Justifica tu respuesta con detalles del texto.

_____

_____

_____

_____

_____

2. Elige tres imágenes de "La migración de las tortugas bobas". ¿Cómo te ayudan a profundizar la comprensión del texto? Justifica tu respuesta con detalles del texto.

_____

_____

_____

_____

_____

Comprobar la comprensión

1. ¿Cuáles son los tres métodos que usan los científicos para rastrear a las tortugas bobas?

_____

_____

_____

2. ¿Por qué saber dónde nadan las tortugas bobas es útil para protegerlas?

_____

_____

_____

3. ¿Cuál de los métodos de rastreo que usan los científicos crees que es el mejor? ¿Por qué?

_____

_____

_____

_____

Leer por tu cuenta

Lee por tu cuenta otro texto técnico, "Nadar con tiburones".
Ten en cuenta lo que aprendiste en esta lección y comprueba
tu comprensión.

Escribir textos informativos/ explicativos

La Gran Muralla China es una de las estructuras más grandes construidas por los seres humanos. Se extiende miles de millas por el norte de China. Los antiguos chinos la construyeron para protegerse de sus enemigos. ¿Cómo podrías compartir la historia de la Gran Muralla China con los lectores? Una manera de compartirla es escribir un texto informativo/ explicativo.

PREGUNTA ESENCIAL

¿Cómo transmite información un texto informativo/ explicativo?

¿Qué es un texto informativo/explicativo?

La Gran Muralla China tiene una historia larga e interesante. Se empezó a construir en el año 220 a. C. Está hecha de ladrillo, tierra y piedra. Su construcción se prolongó por dos mil años. Todos estos son ejemplos de datos y detalles que puedes hallar en un texto informativo/explicativo.

En un **texto informativo/explicativo**, se presenta información acerca de un tema específico, y se la respalda con datos y detalles. Esta información debe ser clara para el lector. En este diagrama puedes observar algunas maneras de lograr que tu texto informativo/explicativo sea efectivo.

Introducción
En la introducción, debes informar al lector acerca de qué escribes. La introducción debe ser interesante. Además, debes atraer la atención del lector y presentar el tema.

Cuerpo
En el cuerpo, se incluyen los detalles que respaldan el tema. Se brindan datos, detalles y explicaciones.

Conclusión
La conclusión debe ser satisfactoria. Debes resumir el texto de manera memorable.

Observemos un texto informativo/explicativo.

Analizar un texto modelo

El siguiente es un ejemplo de un texto informativo/explicativo de un estudiante de tercer grado. Léelo y, luego, completa las actividades de los recuadros junto con tus compañeros.

Los arcos romanos

Los antiguos romanos son famosos por su arquitectura. La arquitectura es el arte y la ciencia de la construcción. Los edificios romanos eran muy resistentes porque se utilizaba la sencilla forma de los arcos para su construcción. Un arco tiene la forma de medio círculo. Los romanos fueron uno de los primeros pueblos en usar arcos en sus construcciones.

Como los arcos eran sólidos y atractivos, se podían utilizar para diseñar edificios elegantes. Los romanos cortaban piedras y usaban concreto en la construcción de los arcos. Crearon un tipo de concreto que era muy sólido y se secaba con rapidez.

Además, los arcos eran muy útiles. En períodos anteriores, la mayoría de las entradas a los edificios consistía en dos pilares que sostenían una piedra larga ubicada horizontalmente. Sin embargo, la piedra se quebraba si era muy pesada. Los arcos estaban formados por piedras más pequeñas y ligeras que se encastraban. Asimismo, la forma curva de los arcos repartía el peso de las piedras, para que ninguna parte fuera demasiado pesada. Por lo tanto, el arco no se rompía.

TEMA El autor atrae la atención del lector en la introducción. También menciona el tema, los arcos romanos. Encierra en un recuadro la oración introductoria.

DETALLES DE APOYO En el segundo y tercer párrafo, el autor da detalles que respaldan la oración introductoria. Subraya las explicaciones, los detalles y los datos de esos párrafos.

bloque de piedra

pilar

arco

Con los arcos, los romanos pudieron construir estructuras y edificios más grandes y sólidos.

DETALLES DE APOYO
En el cuarto párrafo, el escritor da más detalles que respaldan el tema. Subraya las explicaciones, los detalles y los datos de este párrafo.

CONCLUSIÓN El escritor brinda una conclusión satisfactoria que resume el texto brevemente. ¿Qué oración resume la información? Dibuja una estrella al lado de ella.

Los romanos usaban los arcos para construir muchos edificios y estructuras. Por ejemplo, los usaban para construir teatros, baños y puentes. Una de las estructuras más importantes construida con arcos fue el acueducto. Al estar formados por hileras de arco tras arco, los acueductos decoraban el paisaje con larguísimos encajes. Los acueductos transportaban agua a las ciudades. Se extendían por muchas millas, desde las montañas hasta las ciudades, por todo el Imperio romano. Millones de personas dependían de los acueductos para el suministro de agua.

Los arcos fueron muy importantes para la arquitectura romana y se utilizaron en estructuras de toda Roma. Si alguna vez viajas a Roma, podrás observar los arcos en las ruinas de los edificios antiguos. Son una pista de cómo se construían los edificios hace mucho tiempo.

Piensa ▶ ¿Por qué crees que el escritor decidió escribir acerca de los arcos romanos?

¿Qué aprendiste de los arcos romanos? ¿Viste arcos en algún otro lugar?

Estudio del vocabulario: Usar glosarios y diccionarios

Los **diccionarios** son libros que consisten en una lista de palabras en orden alfabético que se citan junto a su significado y otra información. Los **glosarios** son listas de palabras difíciles y su significado que, por lo general, se encuentran al final de los libros. Los diccionarios son como los glosarios, pero incluyen miles de palabras del idioma español.

Lee el siguiente fragmento con tus compañeros o en pareja.

> Las **ruinas** de la antigua ciudad de Roma se extendían hasta perderse en el horizonte. En la ladera, bajo el calor del sol, se encontraban los **restos** de un gran templo. Los turistas caminaban alrededor de los pilares de mármol, sacando fotografías.

Las palabras en negrilla podrían aparecer en el glosario del libro. También puedes buscarlas en un diccionario. Observa las siguientes entradas del diccionario.

> resto 1. *masc.* Parte que queda de un todo.
> 2. *masc.* Mat. Resultado de la operación de restar.
>
> ruina 1. *fem.* Restos de uno o más edificios arruinados. 2. *fem.* Pérdida grande de los bienes de fortuna.

Trabaja con tus compañeros o en pareja para responder a las siguientes preguntas.

1. ¿Qué definición de *resto* se usó en el fragmento? _____

2. ¿En qué asignatura se usa la segunda definición de *resto*? _____

3. ¿Qué definición de *ruina* se usó en el fragmento? _____

4. ¿Cuántas definiciones tiene la palabra *ruina*? _____

Proceso de escritura

Ya has leído y analizado un texto informativo/explicativo. Ahora crearás tu propio texto siguiendo estos pasos del proceso de escritura.

1. Prepararse: Investigar y tomar notas Investiga información de un texto y toma notas. Busca información visual del tema y toma notas.

2. Organizar Usa un organizador gráfico para tomar notas y planear tu texto informativo/explicativo.

3. Hacer un borrador Escribe el primer borrador de tu texto informativo/ explicativo.

4. Comentar en parejas Trabaja con un compañero para evaluar y mejorar tu borrador.

5. Revisar Usa las sugerencias de tu compañero para revisar tu texto.

6. Editar Revisa tu trabajo con atención para eliminar los errores de ortografía, puntuación y gramática.

7. Publicar Escribe la versión final de tu texto informativo/explicativo.

Trabajo de escritura

En esta lección, escribirás tu propio texto informativo/explicativo. A medida que escribes, recuerda los elementos del texto modelo que fueron más efectivos. Lee la siguiente instrucción:

> Investiga la Gran Muralla China. Luego, escribe de tres a cinco párrafos sobre la historia de la Gran Muralla, incluyendo por qué y cómo fue construida, quién la construyó y cómo es en la actualidad.

1. Prepararse: Investigar y tomar notas

El escritor del texto modelo escribió sobre la arquitectura y los arcos romanos. Antes de escribir el borrador, investigó acerca del tema. El siguiente es un párrafo de uno de los libros que consultó.

Los arquitectos romanos contaban con dos ventajas: el concreto y los arcos. Los romanos descubrieron que, al mezclar ceniza volcánica con grava y agua de mar, se formaba un concreto muy resistente, casi irrompible. Además, el concreto era más barato y sólido que la piedra, y era perfecto para construir grandes estructuras. Gracias a los arcos, los arquitectos romanos pudieron construir entradas con fragmentos de piedra que formaban un arco sobre dos pilares. Los arcos requerían menos piedra y eran más sólidos que las entradas normales. Los romanos usaron concreto y arcos para construir algunas de sus estructuras más hermosas, entre ellas, puentes, acueductos y domos.

El escritor tomó notas acerca de cada uno de los libros que consultó. La siguiente es la tarjeta de notas que completó al leer el texto anterior. ¿Qué clase de información incluyó?

IDEA PRINCIPAL En la primera línea, el autor escribió la idea principal del fragmento que le interesaba usar en su informe.

Idea principal: El concreto y los arcos eran dos ventajas que tenían los arquitectos romanos.

Detalle: Los arcos requerían menos piedra y eran más sólidos que las entradas normales.

Detalle: Los romanos usaban concreto y arcos para construir puentes, acueductos y domos.

Fuente: *Arquitectura romana*, Tracie Telling

DETALLES Luego, hizo una lista con los detalles del fragmento. ¿Cómo respaldan los detalles la idea principal?

FUENTE Al final, escribió dónde halló el fragmento. ¿Dónde lo halló?

Investigar textos

Tu tema es la Gran Muralla China. Observa la siguiente información que podrías usar para escribir el texto informativo. Lee el texto. Piensa cuáles son las ideas importantes de cada párrafo. También piensa en los detalles interesantes que podrías incluir en tu texto informativo.

IDEA PRINCIPAL
¿Cuál crees que es la idea principal del primer párrafo?

DETALLES ¿Qué explicaciones, detalles o datos interesantes usarías en tu texto informativo/explicativo?

DETALLES En el segundo párrafo, se describe cómo los soldados protegían la muralla. ¿Qué detalles del párrafo te parecen más interesantes?

de *La Gran Muralla China*
D. Everett Tunard

La construcción de la Gran Muralla China comenzó hace más de dos mil años, cerca del año 221 a. C. La construyeron soldados, campesinos y criminales, a partir de diferentes materiales. La mayoría de los materiales utilizados se encontraban en el lugar. Por ejemplo, en las zonas rocosas, la pared se construyó con piedra. Si no había piedra, se usaba tierra apisonada. Años después, también se usaron ladrillos.

Si alguien atacaba la muralla, los soldados que la defendían tenían diferentes maneras de comunicarse. Cerca de la muralla, había torres de piedra. Estas torres se ubicaban en tierras altas para que los soldados que se encontraban en otras torres cercanas pudieran verlas. Cuando había enemigos a la vista, los soldados armaban una hoguera sobre la plataforma de la torre. Al ver el humo, los soldados que cuidaban la siguiente torre armaban su propia hoguera en su plataforma. A veces, los soldados disparaban cañones para advertir a los soldados de las otras torres que el enemigo estaba cerca.

¡Inténtalo!

Toma notas

Usa las siguientes tarjetas para anotar información del texto sobre la Gran Muralla China. Recuerda escribir la idea principal y los detalles interesantes de cada párrafo. Al final, anota la fuente de la información.

Idea principal:

Detalle:

Detalle:

Detalle:

Fuente:

Idea principal:

Detalle:

Detalle:

Detalle:

Fuente:

Buscar información visual

Cuando investigues un tema, descubrirás que se puede brindar información de diferentes maneras. Puede que halles fotografías o diagramas en recursos en línea. Puede que halles información en tablas y mapas. También puedes usar tarjetas para tomar notas acerca de estas formas de transmitir información.

El primer ejemplo es un diagrama de la Gran Muralla. El segundo ejemplo es un mapa de la muralla. Piensa cómo podrías usarlos para reunir ideas y detalles acerca de la Gran Muralla China.

INFORMACIÓN DE RECURSOS El diagrama muestra el interior de la muralla. Los rótulos indican las partes de la muralla y los materiales de los que están hechas. ¿Qué aprendes de la muralla a partir del diagrama?

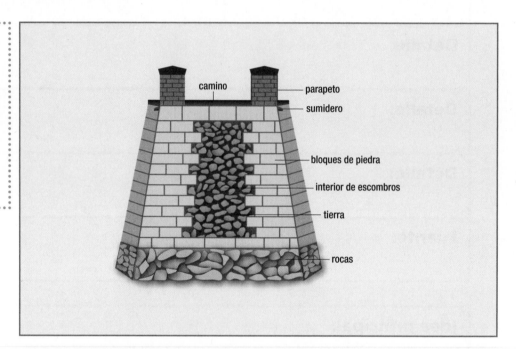

INFORMACIÓN DE RECURSOS ¿Cómo podrías ayudarte con el mapa para escribir un texto informativo acerca de la ubicación de la Gran Muralla China? ¿Qué información usarías?

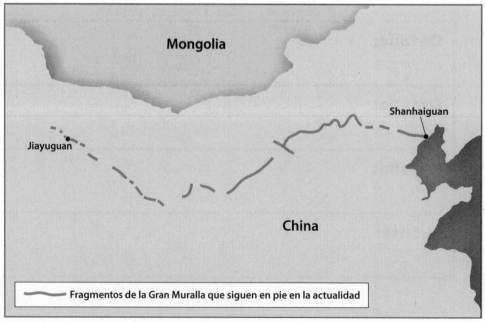

Toma notas

Usa las siguientes tarjetas para anotar información del diagrama y del mapa de la página anterior. Puedes usar tus respuestas a las actividades de esa página como ayuda.

Idea principal (diagrama):
Detalle:
Detalle:
Detalle:
Fuente:

Idea principal (mapa):
Detalle:
Detalle:
Detalle:
Fuente:

2. Organizar

Ya casi estás listo para empezar a hacer el borrador de tu texto informativo/explicativo. Puedes usar un organizador gráfico para anotar las ideas y los detalles. Luego, podrás consultar el organizador gráfico mientras trabajas en las diferentes partes del borrador. El autor del texto modelo completó el siguiente organizador gráfico.

INTRODUCCIÓN En el primer párrafo, debes presentar el tema de tu texto informativo/explicativo.

PÁRRAFOS DE APOYO En el segundo, tercero y cuarto párrafo, debes desarrollar el tema con explicaciones, detalles y datos que lo respalden.

Más tarde, incluirás al menos tres detalles de apoyo en tu borrador.

CONCLUSIÓN En el último párrafo, debes incluir una conclusión satisfactoria que resuma brevemente el texto.

Idea principal
Los edificios romanos eran muy resistentes porque se utilizaba la sencilla forma de los arcos para su construcción.

Detalle de apoyo 1
Los arcos se construían con piedras cortadas y concreto. Los romanos usaban un concreto que era muy sólido y se secaba con rapidez.

Detalle de apoyo 2
Los arcos estaban formados por piedras más pequeñas y ligeras que se encastraban. El peso del arco se repartía.

Detalle de apoyo 3
Los romanos usaban los arcos para construir muchas estructuras. Se usaban arcos para construir teatros, baños, puentes y acueductos.

Conclusión
Los arcos fueron muy importantes para la arquitectura romana. Estaban hechos de concreto y se utilizaron en estructuras de toda Roma.

¡Inténtalo!

Organiza tu texto informativo/explicativo

Ahora, usa el siguiente organizador gráfico para anotar las ideas y los detalles que quieras usar en cada uno de los párrafos de tu borrador.

Idea principal

Detalle de apoyo 1

Detalle de apoyo 2

Detalle de apoyo 3

Conclusión

3. Hacer un borrador

Llegó el momento de empezar el primer borrador de tu texto informativo/explicativo. Recuerda que no es necesario que el borrador sea perfecto. Ahora puedes usar tus notas, escribir tus ideas de manera organizada y divertirte. Más tarde tendrás tiempo de revisar lo que escribes. Empieza tu texto informativo/explicativo en una computadora o en una hoja de papel aparte. Escribe acerca de la Gran Muralla China.

Técnica del escritor: Usar palabras y frases de enlace para conectar ideas

Las palabras y frases de enlace ayudan a que el texto se lea con fluidez. Además, ayudan a los lectores a comprender cómo se conectan las ideas. Las siguientes son algunas de las palabras y frases de enlace más frecuentes.

Palabras de enlace	además, asimismo, aunque, después, igualmente, mientras, otro, pero, porque, también, y
Frases de enlace	a pesar de, en contraste, por lo tanto, sin embargo

El escritor del texto modelo usa palabras y frases de enlace en el tercer párrafo.

PALABRAS Y FRASES DE ENLACE
Lee el siguiente fragmento del texto modelo. Encierra en un círculo todas las palabras y frases de enlace que conectan ideas.

Además, los arcos eran muy útiles. En períodos anteriores, la mayoría de las entradas a los edificios consistían en dos pilares que sostenían una piedra larga ubicada horizontalmente. Sin embargo, la piedra se quebraba si era muy pesada. Los arcos estaban formados por piedras más pequeñas y ligeras que se encastraban. Asimismo, la forma curva de los arcos repartía el peso de las piedras, para que ninguna parte fuera demasiado pesada. Por lo tanto, el arco no se rompía.

¡Inténtalo! Escribe tu primer borrador

En una computadora o en una hoja de papel aparte, escribe el borrador de tu texto informativo/explicativo. Recuerda usar palabras y frases de enlace. Mientras escribes, ten en cuenta esta lista de control para hacer borradores.

✓ Un buen principio atrae la atención del lector. Puedes empezar con una pregunta o un dato interesante acerca de tu tema.

✓ Asegúrate de presentar la idea principal en el primer párrafo.

✓ Asegúrate de que cada párrafo incluya detalles que respalden la idea principal.

✓ En cada párrafo de apoyo, incluye oraciones con explicaciones, detalles y datos.

✓ Ilustra el texto con elementos visuales, como fotografías o gráficas.

✓ Escribe una conclusión satisfactoria que resuma el texto de forma memorable.

Sugerencias para escribir el primer borrador

- Escribe las frases e ideas clave antes de empezar el texto. A veces, es una muy buena preparación.

- Enfócate en las ideas, no en los detalles. Cuando revises y edites el texto más adelante, podrás arreglar los detalles. En el borrador, lo que importa son las ideas.

- Asegúrate de que todas tus ideas estén conectadas. Usa las palabras y frases de enlace que figuran en la página 160 para conectar las ideas de tus párrafos.

4. Comentar en parejas

Cuando termines tu borrador, trabajarás con un compañero para intercambiar y revisar sus trabajos. El siguiente es un borrador del texto modelo. Trabaja con tu compañero para leerlo y responder a las preguntas de los recuadros. Luego, veremos cómo el compañero del escritor evaluó su borrador.

Borrador inicial

INTRODUCCIÓN En el borrador, el escritor no incluye una idea principal clara. ¿El texto trata de los arcos o de los foros?

PÁRRAFOS DE APOYO En el segundo párrafo, se habla del mármol. Ese detalle no respalda la idea principal. ¿Qué cambios le harías al párrafo?

CONCLUSIÓN La conclusión no resume el texto. ¿Cómo podrías resumirlo?

Arcos romanos

Los romanos son famosos. Son famosos por su arquitectura. Era muy resistente debido a la sencilla forma de los arcos. Los romanos fueron los primeros en usar arcos en sus construcciones. En Roma, también había foros. Los foros eran grandes plazas donde las personas se reunían a charlar.

Los romanos cortaban piedras y usaban concreto en la construcción de los arcos. Muchos edificios se construían con mármol. Hay muchos edificios de mármol en Grecia.

Los arcos eran muy útiles. Antes, la mayoría de las entradas a los edificios consistía en dos pilares que sostenían una piedra larga ubicada horizontalmente. La piedra se quebraba si era muy pesada. Los arcos estaban formados por piedras más pequeñas y ligeras que se encastraban. La forma curva de los arcos repartía el peso de las piedras, para que ninguna parte fuera demasiado pesada. Por lo tanto, el arco no se rompía.

Los romanos construyeron muchas cosas con arcos. Los arcos se usaron en muchos edificios. Además, se usaban para construir acueductos. Tenían muchas millas de longitud. Las personas necesitaban los acueductos para conseguir agua.

Los arcos fueron muy importantes para la arquitectura romana. Les recomiendo que viajen a Italia. Allí podrán ver las ruinas romanas. Las ruinas dan una idea de cómo era la vida durante la época romana. Pueden recorrer las ruinas y pensar cómo era el edificio hace miles de años.

Ejemplo de ficha para comentar en parejas

La siguiente ficha muestra cómo un compañero evaluó el borrador del texto modelo que se encuentra en la página anterior.

| En la introducción, se presenta el tema de manera interesante. | Hiciste un buen trabajo al atraer la atención del lector. |
| La idea principal del texto es clara. | Podrías mejorar tu borrador si explicaras la idea principal de una manera más clara. Tu idea principal es confusa. |

| El escritor respalda la idea principal con al menos tres detalles de apoyo importantes. | Hiciste un buen trabajo al brindar tres detalles de apoyo. |
| El escritor incluye explicaciones, detalles y datos. | Podrías mejorar tu borrador si incluyeras más explicaciones, detalles y datos en el cuarto párrafo. |

| El escritor usa palabras y frases de enlace para que el texto se lea con fluidez. | Hiciste un buen trabajo al usar "por lo tanto" en el tercer párrafo. |
| | Podrías mejorar tu borrador si usaras más palabras y frases de enlace como "antes", "sin embargo" y "además". |

| El escritor incluye una conclusión satisfactoria. | Hiciste un buen trabajo al incluir un párrafo de conclusión. |
| La conclusión resume el texto. | Podrías mejorar tu borrador si agregaras una o dos oraciones que resumieran tu tema brevemente. |

¡Inténtalo! Comenta en pareja

Ahora, trabajarás con un compañero para intercambiar y revisar los borradores usando la siguiente ficha. Si necesitan ayuda, vuelvan a mirar la ficha del escritor del texto modelo en busca de sugerencias.

En la introducción, se presenta el tema de manera interesante. **La idea principal del texto es clara.**	Hiciste un buen trabajo al Podrías mejorar tu borrador si
El escritor respalda la idea principal con al menos tres detalles de apoyo importantes. **El escritor incluye explicaciones, detalles y datos.**	Hiciste un buen trabajo al Podrías mejorar tu borrador si
El escritor usa palabras y frases de enlace para que el texto se lea con fluidez.	Hiciste un buen trabajo al Podrías mejorar tu borrador si
El escritor incluye una conclusión satisfactoria. **La conclusión resume el texto.**	Hiciste un buen trabajo al Podrías mejorar tu borrador si

¡Inténtalo!

Anota los comentarios clave

Llegó el momento de que tú y tu compañero comenten sus trabajos. Escucha los comentarios de tu compañero y anota los más importantes en la columna de la izquierda. Luego, escribe algunas ideas para mejorar tu borrador en la columna derecha.

Según los comentarios de mi compañero, la introducción	Voy a
Según los comentarios de mi compañero, la idea principal	Voy a
Según los comentarios de mi compañero, los detalles de apoyo	Voy a
Según los comentarios de mi compañero, el uso de palabras de enlace	Voy a
Según los comentarios de mi compañero, la conclusión	Voy a

Usa el siguiente espacio en blanco para escribir algo más que encuentres en tu borrador que puedes mejorar.

5. Revisar

En este paso del proceso de escritura, trabajarás en las partes de tu borrador que debes mejorar. Usa como ayuda la ficha que completó tu compañero. Además, usa tus propias ideas para mejorar cada parte de tu texto informativo/explicativo. La siguiente lista de control incluye algunos puntos que debes considerar cuando te prepares para hacer la revisión.

Lista de control para la revisión

✓ ¿Atraigo el interés del lector con mi introducción? ¿Presento con claridad mi idea principal?

✓ ¿Todos mis detalles, explicaciones y datos respaldan mi idea principal?

✓ ¿Es interesante mi conclusión? ¿Resumo bien el texto?

✓ ¿Uso palabras y frases de enlace para conectar ideas?

✓ ¿Uso lenguaje preciso para que mis ideas sean lo más claras posible?

Técnica del escritor: Usar lenguaje literal y no literal

A veces, los escritores usan lenguaje literal y no literal para que el texto sea más atractivo. Por ejemplo, tal vez escriben: "Paula canta como un pájaro". El escritor compara el canto de Paula con el hermoso canto de un pájaro. Ahora, observa el texto modelo y busca ejemplos de lenguaje no literal.

LENGUAJE LITERAL Y NO LITERAL Los escritores suelen hacer un uso no literal del lenguaje en sus textos. Subraya en el párrafo un ejemplo de lenguaje figurado o no literal.

Los romanos usaban los arcos para construir muchos edificios y estructuras. Por ejemplo, los usaban para construir teatros, baños y puentes. Una de las estructuras más importantes construida con arcos fue el acueducto. Al estar formados por hileras de arco tras arco, los acueductos decoraban el paisaje con larguísimos encajes.

¡Inténtalo!

Revisa tu texto informativo/explicativo

Una parte importante de la revisión consiste en reemplazar palabras sencillas por palabras más precisas y descriptivas. Practica el uso de lenguaje preciso con el siguiente párrafo. Reemplaza cada una de las palabras subrayadas por una palabra más precisa e interesante. Escribe tus respuestas en los renglones que se encuentran debajo del párrafo.

> En el año 312 a. C., los romanos comenzaron a <u>hacer</u> puentes para trasladar agua a Roma. Estos puentes se llamaban acueductos. Los acueductos eran <u>grandes</u>. El agua se movía muy <u>rápido</u> en su interior. Provenía de las montañas, ¡así que debía de estar <u>fría</u>!

Reemplazo *hacer* por _____

Reemplazo *grandes* por _____

Reemplazo *rápido* por _____

Reemplazo *fría* por _____

Trabajo de escritura

Llegó el momento de revisar el borrador de tu texto informativo/explicativo. Continúa trabajando en una computadora o en una hoja de papel aparte. Verifica la instrucción y la lista de control para saber si has incluido todo lo que necesitabas.

Trabajo de escritura

Investiga la Gran Muralla China. Luego, escribe de tres a cinco párrafos sobre la historia de la Gran Muralla, incluyendo por qué y cómo fue construida, quién la construyó y cómo es en la actualidad.

6. Editar

Luego de revisar tu texto informativo/explicativo, debes editarlo. Cuando editas, lees con atención para detectar todos los errores que pueda haber en el texto. Esta lista de control indica algunos puntos que debes verificar cuando editas.

Lista de control para la edición

✓ ¿Dejaste sangría en todos los párrafos?

✓ ¿Todas las oraciones están completas? ¿Todas tienen un sujeto y un verbo?

✓ ¿Empezaste todas las oraciones con mayúscula?

✓ ¿Todas las oraciones tienen la puntuación adecuada?

✓ ¿Usaste bien las comas?

✓ ¿Todas las palabras están bien escritas?

Puedes usar estos signos de corrección para marcar todos los errores que encuentres.

⌃ Agregar   ⌇ Borrar   / Minúscula

⊙ Agregar punto   ⌃ Agregar coma

Esta parte del borrador del texto modelo muestra cómo usar los signos de corrección.

Los romanos construyeron muchas cosas con arcos.

Los arcos se usaron en Teatros Baños y Puentes. Además

se usaban para construir acueductos. Los acueductos eran

puentes que trasladaban agua a las ciudades. Tenían

millas

muchas de longitud. Millones de romanos necesitaban los

acueductos para conseguir agua⊙

Enfoque en el lenguaje: Estructura de las oraciones

Una **oración simple** tiene sujeto y predicado. Las oraciones comienzan con mayúscula y terminan con un punto o se escriben entre signos de interrogación o de exclamación.

Ejemplo: Érica caminó hasta la tienda.

Una **oración compuesta** contiene dos o más oraciones simples, que se denominan cláusulas independientes. Para conectar dos cláusulas independientes en una oración compuesta, se usa una **conjunción coordinante**. Algunos ejemplos de conjunciones coordinantes son *y*, *pero*, *pues*, *ni*, *mas* y *o*.

Ejemplo: Érica caminó hasta la tienda, pero no compró nada.

Una **oración compleja** contiene una cláusula independiente y una o más cláusulas subordinadas. Una cláusula subordinada tiene sujeto y predicado, pero no podría funcionar sola como una oración. Las **conjunciones subordinantes** introducen las cláusulas subordinadas. Algunos ejemplos de conjunciones subordinantes son *aunque*, *luego de*, *como*, *porque*, *antes de*, *hasta que* y *cuando*.

Ejemplo: Cuando Luis llegó, Érica estaba durmiendo la siesta.

Como los arcos eran sólidos y atractivos, se podían utilizar para diseñar edificios elegantes. Los romanos cortaban piedras y usaban concreto en la construcción de los arcos. Crearon un tipo de concreto que era muy sólido y se secaba con rapidez. Además, los arcos eran muy útiles.

ESTRUCTURA DE LAS ORACIONES Lee este fragmento del texto modelo. Usa la información de esta página para subrayar una oración simple. Luego, encierra en un círculo una oración compuesta y subraya la conjunción. Finalmente, encierra en un recuadro una oración compleja y subraya la cláusula subordinada.

¡Inténtalo! Practica la edición y el uso del lenguaje

Vuelve a escribir las siguientes oraciones para crear una sola oración compuesta. Usa las conjunciones coordinantes *o*, *así que* y *pero*.

1. A Jamie le gusta leer relatos de aventuras. Gwen prefiere los relatos de misterio.

   _____

2. En invierno, las personas deben abrigarse con sombreros y bufandas. Hace mucho frío.

   _____

   _____

3. ¿Quieres ir al parque? ¿Quieres ir a ver una película?

   _____

Lee las siguientes oraciones complejas. Subraya una vez la cláusula independiente. Subraya dos veces la cláusula subordinada.

4. Aunque le tenía miedo al agua, Ricky se subió al barco.

5. Alex debía comprar un regalo antes de que terminara el día.

Ahora usa signos de corrección para marcar los errores del siguiente párrafo.

Durante el tercer siglo a. C., los constructores romanos usaban

Madera y Ladrillos hechos de barro? Más tarde, empezaron a usar

concreto. Al secar el concreto era duro como la piedra. Como el

concreto era a prueba de agua era perfecto para construir puentes

¡Inténtalo!

Edita tu texto informativo/explicativo

Ahora, edita tu texto informativo/explicativo. Usa la siguiente lista de control y los signos de corrección que aprendiste para corregir los errores que encuentres.

☐ ¿Todas las oraciones están completas?

☐ ¿Faltan o se repiten palabras en tus oraciones?

☐ ¿Empezaste todas las oraciones con mayúscula?

☐ ¿Seguiste las reglas del uso de las letras mayúsculas?

☐ ¿Usaste la conjunción correcta en las oraciones compuestas?

Sugerencias para la edición

- Usa el dedo o un lápiz para señalar cada palabra a medida que la lees. Te ayudará a leer más despacio y a hallar errores que, por lo general, se pasan por alto.

- Lee el texto en voz alta y escucha con atención. ¿Necesitas tomar aire cuando lees algunas de las oraciones? Puede que sea una señal de que hay que dividirlas y formar dos oraciones.

- Lee tu relato lentamente por lo menos dos veces. Cuando leemos en busca de errores, ¡una sola lectura no es suficiente!

7. Publicar

En la computadora o en una hoja de papel aparte, crea un borrador final de tu texto informativo/explicativo que se lea con claridad. Corrige todos los errores que identificaste mientras editabas el borrador. Asegúrate de ponerle un título interesante.

El paso final es publicar tu texto informativo/explicativo. Puedes compartir tu trabajo de distintas maneras:

- Lee tu texto informativo/explicativo en voz alta a la clase o a un grupo pequeño de compañeros.

- Crea un periódico con estilo antiguo que describa la Gran Muralla China.

- Crea un libro de viajes sobre la Gran Muralla China.

- Crea un cartel con tu texto informativo/explicativo y dibujos o fotografías de revistas o periódicos.

Sugerencias para el uso de tecnología

- Publica tu texto informativo/explicativo en una presentación multimedia con imágenes y fotografías digitales.
- Crea una página web sencilla acerca de la Gran Muralla China.

Leer textos científicos de no ficción

Observa esta fotografía de dos estudiantes investigando. ¿De qué formas las personas aprenden sobre ciencia?

PREGUNTA ESENCIAL

¿Qué podemos aprender de artículos sobre el clima, animales, plantas y otros temas científicos?

Considerar ▶ ¿Por qué crees que la nieve puede ser divertida y a su vez peligrosa?

¿Cómo te das cuenta de que se aproxima una tormenta?

TEXTOS CIENTÍFICOS DE NO FICCIÓN Los textos científicos de no ficción brindan información real sobre un área científica. Un artículo puede publicarse en una revista o periódico, en un libro de texto, en una enciclopedia o en una página web. Estos artículos generalmente incluyen fotografías, diagramas, mapas, gráficas y encabezados que ayudan a explicar un tema. Las personas leen textos científicos de no ficción para investigar sobre un tema. ¿Por qué otra razón podríamos leer textos científicos de no ficción?

CLAVES DEL CONTEXTO
A veces, cuando estás leyendo, encuentras una palabra que no conoces. Las claves del contexto son palabras cercanas que dan pistas sobre el significado de la palabra desconocida. Busca la palabra *nevasca* en el párrafo 1. En el párrafo 2, varias palabras y frases como "tormentas de invierno", "la temperatura es muy baja" y "nieve densa" te dicen que una nevasca es una tormenta de nieve muy grande y peligrosa. Busca la palabra *evapora* en el párrafo 3. ¿Qué claves del contexto te ayudan a comprender su significado? ¿Qué significa?

Viento fuerte, torbellino de nieve

1   Cada invierno, muchísimos niños, de Maine a Montana, se van a dormir deseando que al día siguiente nieve. Los días que nieva, la escuela se cierra porque los autobuses escolares y los autos no pueden circular con facilidad sobre las calles nevadas. Algunos niños han oído la superstición de que pueden hacer que nieve si usan sus pijamas al revés o si duermen con cucharas bajo la almohada. Ellos desean que cuando despierten por la mañana, haya grandes montones de copos suaves fuera de sus casas. Sin embargo, si supieran que se aproxima una nevasca, cambiarían de parecer.

Los días que nieva pueden ser muy divertidos, pero las nevascas no son para nada divertidas. Estas tormentas de invierno son muy peligrosas. La temperatura es muy baja y hay torbellinos de nieve tan densos que las personas no logran ver lo que hay delante de ellas. El viento puede derribar a las personas, los edificios rechinan y los árboles se mecen.

Las tormentas siguen y siguen. A las personas se les hace imposible salir de sus casas para ir a cualquier lugar.

Cómo comienza una nevasca

Estas violentas tormentas comienzan como cualquier otra nevada. La nieve es una forma de agua que cae al suelo, como la lluvia, el aguanieve y el granizo. ¿Cómo se forma la nieve? Primero, la luz solar calienta los océanos y los lagos. Luego, el agua se evapora, o se transforma en vapor, y sube hasta formar nubes. Después, el vapor de agua en las nubes se congela y forma hielo. Los pequeños pedazos de hielo se transforman en copos de nieve. Cada vez pesan más y más. Finalmente, como pesan mucho, caen al suelo. El viento frío de invierno los mantiene congelados mientras caen.

Una nevasca no es simplemente una fuerte tormenta de nieve. En una nevasca, cae o se arremolina tanta nieve que no se puede ver nada a más de un cuarto de milla de distancia en ninguna dirección. Durante una nevasca, esta condición dura al menos tres horas. La nieve es solo una parte de la nevasca. Las nevascas también tienen temperaturas muy bajas y vientos de grandes velocidades. El viento sopla fuerte y rápido, al menos a 35 millas por hora, y a menudo a más velocidad.

SECUENCIA El orden en el que ocurren los sucesos se llama *secuencia*. En el párrafo 3, la palabra *primero* indica que el primer paso en la formación de la nieve es que la luz solar calienta los océanos y lagos. ¿Qué palabras del párrafo indican el orden de los otros pasos?

HACER Y RESPONDER PREGUNTAS Puedes comprender mejor lo que lees si te haces preguntas y luego lees para encontrar las respuestas. Puedes preguntarte qué evita que los copos de nieve se derritan al caer y luego leer el texto y descubrir que el aire frío de invierno los mantiene congelados. ¿Qué otras preguntas puedes hacerte acerca de una nevasca?

CAUSA Y EFECTO Causa y efecto es una conexión entre sucesos en la cual un suceso genera otro. La causa es el suceso que hace ocurrir algo. El efecto es el resultado de la causa. En el párrafo 3, una causa es que los copos de nieve en las nubes se vuelven pesados. El efecto es que los copos caen al suelo. ¿Qué otra relación de causa y efecto hay en este párrafo?

¿Cómo se genera la nieve?

① Calor
② Agua
③ Vapor
④ Las gotas de agua se congelan.
⑤ Nieve

Las condiciones de una nevasca dificultan el trabajo de los equipos de rescate.

No todo es diversión

5   Las nevascas pueden ser fascinantes, pero no todo acerca de ellas es divertido. Las nevascas pueden causar daños graves. Los vientos fuertes y la nieve densa pueden romper las ramas de los árboles o incluso derribar un árbol entero. Las ramas que se caen pueden cortar cables eléctricos. Sin electricidad, la mayoría de los edificios no tienen luz ni calefacción. Las cañerías de agua se congelan y el agua corriente se corta. Las personas tiritan en la oscuridad.

Una nevasca también retrasa el tránsito. La nevada es tan densa y blanca que a los conductores se les hace casi imposible ver. La nieve densa también bloquea caminos, y los carros quedan varados. Los conductores caminan en la nieve o esperan a que los rescaten. Los aviones no pueden volar por los vientos fuertes. Por ello, las personas quedan atascadas en el aeropuerto, que debe cerrar. A veces, se quedan sin comida antes de que la tormenta termine. También se quedan sin pañales para los bebés.

Es peligroso viajar durante una nevasca, incluso estar al aire libre por cualquier motivo. Es difícil ver y también hace muchísimo frío. El viento hace que las temperaturas muy bajas se sientan aún más frías. El viento fuerte y frío hace perder el calor corporal. Las personas y los animales no pueden sobrevivir mucho tiempo en una nevasca a causa del viento helado.

Las personas no pueden ir a trabajar, a la escuela o a hacer compras durante una nevasca. Cuando termina la tormenta, puede tomar muchas horas, a veces muchos días, limpiar la nieve y reparar todo para dejarlo como estaba.

Prepárate

No puedes detener una nevasca, pero puedes prepararte para su llegada. Primero, mira el pronóstico del clima. Los científicos que estudian el clima, llamados meteorólogos, usan muchas herramientas diferentes para rastrear tormentas. También miden cosas como la velocidad del viento de una tormenta. Los satélites meteorológicos que están en el espacio toman fotografías. Esas fotografías muestran dónde comienzan las tormentas, hacia dónde van y cuán rápido se mueven. Si los meteorólogos saben que se aproxima una tormenta, les advierten a las personas para que se preparen.

10   Si escuchas una advertencia de tormenta de invierno, entonces es momento de que te prepares. Almacena comida. Asegúrate de que, si algún familiar necesita medicinas, las tenga. Ten una buena cantidad de agua embotellada. Guarda frazadas y linternas con baterías adicionales en la casa y en el carro. Lo más importante: una vez que llegue la tormenta, quédate dentro. Durante una nevasca, es muy fácil perderse porque no puedes ver hacia dónde vas. Si tienes que salir, usa muchas capas de ropa para mantenerte abrigado. Luego, ata una cuerda larga a la puerta de la casa y aférrate a esa cuerda todo el tiempo que estés fuera así puedes encontrar el camino de regreso.

Y no te preocupes. Una vez que termine la nevasca, ¡habrá mucha nieve para que puedas hacer un muñeco y divertirte!

> **CLAVES DEL CONTEXTO** En el párrafo 9, usa las claves del contexto para descubrir qué significa la palabra *meteorólogo*.

> **FOTOGRAFÍAS Y PIES DE FOTOS** Las fotografías pueden ayudarte a entender algo que leíste en el texto a través de una imagen visual. Los pies de fotos cuentan la idea principal de una fotografía. ¿Qué información nueva acerca de los meteorólogos transmiten la fotografía y el pie de foto de esta página?

Los meteorólogos analizan datos en la computadora para rastrear tormentas.

Comprobar la comprensión

Piensa en lo que aprendiste al leer "Viento fuerte, torbellino de nieve". Observa esta tabla. Revisa el artículo para completar la causa o el efecto que falta en cada caso.

Causa	Efecto
	No hay electricidad en las casas.
	Los conductores no pueden ver.
Los meteorólogos les advierten a las personas cuando se aproxima una tormenta.	

Vocabulario

Usa el siguiente mapa de palabras para definir y usar una de las palabras de vocabulario resaltadas de la lectura "Compartir y aprender" u otra palabra que te indique tu maestro.

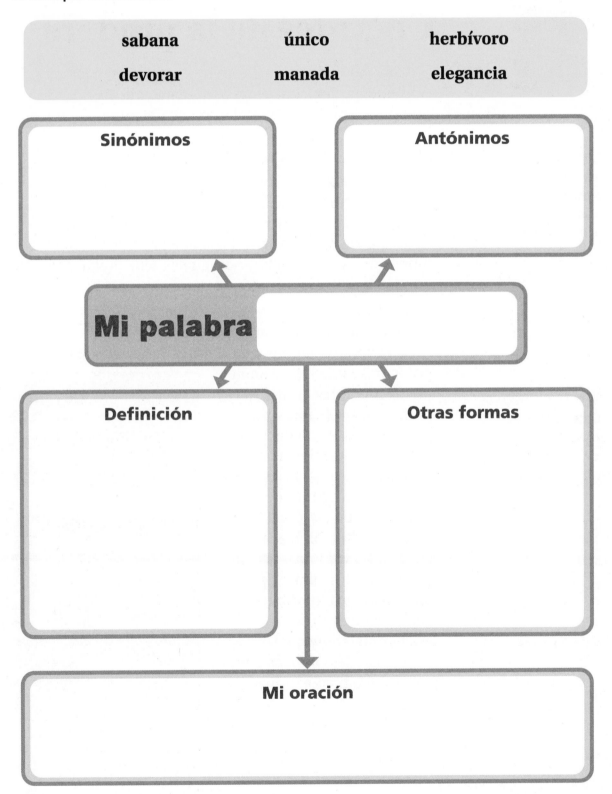

sabana	único	herbívoro
devorar	manada	elegancia

Sinónimos

Antónimos

Mi palabra

Definición

Otras formas

Mi oración

Considerar ▶ ¿En qué se diferencian las jirafas de otros animales?

¿Qué ventajas tienen las jirafas para sobrevivir en el lugar donde viven?

Gigantes de la pradera

1   ¿Qué mide dos pisos de alto, pesa lo mismo que una camioneta y tiene una lengua más larga que tu regla de un pie? Es una jirafa, ¡el animal más alto del mundo!

Las jirafas viven en la sabana o pradera de África. Tal vez pienses que un animal que es mucho más alto que los demás se destaca fácilmente a la vista, pero te equivocas. El diseño del pelaje de la jirafa le permite esconderse entre los arbustos y árboles de la pradera. Y no pienses que si viste una jirafa, has visto todas. Cada jirafa tiene un dibujo único en su pelaje; no hay dos iguales. Una jirafa bebé puede identificar a su madre con solo mirar el patrón de su pelaje.

La jirafa tiene otra característica especial: su corazón. El corazón de cualquier mamífero bombea la sangre por todo su cuerpo. La jirafa puede medir hasta 18 pies y pesar casi 1,800 libras. Sus piernas pueden medir 6 pies de largo y su cuello puede ser aun más largo. El corazón de la jirafa debe bombear la sangre por un largo trecho para hacerla subir hasta la cabeza. Tal vez imagines que el corazón de la jirafa tiene un tamaño extraordinario, como su cuerpo, pero no es así. Simplemente tiene la capacidad de bombear sangre con mucha fuerza y muy rápido.

CLAVES DEL CONTEXTO
¿Qué palabras del segundo párrafo de esta página son una clave para el significado de la palabra único? Enciérralas en un círculo.

MAPAS Observa el mapa en esta página. Dibuja el contorno del área donde posiblemente vivan jirafas.

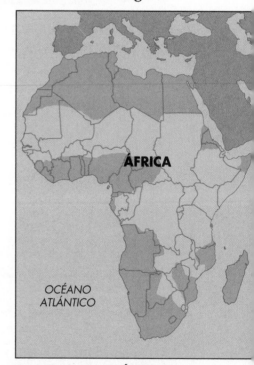

ÁFRICA

OCÉANO ATLÁNTICO

En este mapa de África, se muestra la sabana en color café claro.

Acacia

Las hojas de acacia son la comida favorita de las jirafas.

RÓTULOS Los rótulos son palabras o frases que nombran algo que aparece en una fotografía o ilustración. En la fotografía de esta página, el rótulo nos dice cuál es el árbol del que se alimenta la jirafa. ¿Qué clase de árbol es?

¡A comer!

¿Por qué a las jirafas les sirve ser tan altas? Su tamaño les resulta útil para sobrevivir en su hábitat. Las jirafas se alimentan de plantas, es decir, son animales herbívoros. La sabana puede pasar largos períodos de sequía. Es difícil que muchas plantas y árboles crezcan allí. Otros animales de la sabana que también comen plantas, como las cebras y los antílopes, se alimentan de pastos y arbustos que crecen cerca del suelo. A las jirafas les quedan las frondosas copas de los árboles casi exclusivamente para ellas.

IDEA PRINCIPAL Y DETALLES ¿Qué oración contiene la idea principal del párrafo 5? Subráyala. Luego, enumera dos detalles que respalden la idea principal.

_____

_____

_____

5 La larga lengua de las jirafas les permite arrancar las hojas de las ramas de los árboles. La lengua puede medir 18 pulgadas de largo y es capaz de evitar las espinas. Además, el paladar de la jirafa tiene rugosidades que le permiten arrancar las hojas de las ramas. La jirafa envuelve la rama con su larga lengua y al mover la cabeza hacia atrás arranca las hojas de la rama.

Las jirafas necesitan comer todas las hojas que puedan. Como son animales tan grandes, necesitan grandes cantidades de comida. Una jirafa puede devorar 75 libras de hojas en tan solo un día. Pero solo pueden comer unas pocas hojas por mordisco; por eso, pasan casi veinte horas al día comiendo para obtener suficiente alimento.

CAUSA Y EFECTO Lee el párrafo 6. ¿Por qué las jirafas pasan tanto tiempo comiendo?

_____

_____

_____

HACER Y RESPONDER PREGUNTAS Una pregunta que puedes hacerte es: "¿Cómo se avisan las jirafas de que están en peligro?". Encierra en un recuadro la parte del texto que responde a tu pregunta.

CLAVES DEL CONTEXTO ¿Qué significa la palabra *manada*? Encierra en un círculo las claves del contexto que te ayudan a determinar el significado.

_____

_____

_____

Conseguir agua

Para las jirafas, las hojas de los árboles son una fuente de alimento, pero también de agua. Esta fuente de agua es importante por dos razones. La primera es que la sabana es muy seca. Si las jirafas tuvieran que obtener toda el agua de lagunas, lagos, arroyos o ríos, no sobrevivirían.

La segunda razón es que, para las jirafas, beber agua al nivel del suelo es peligroso. Si una jirafa quiere beber agua de un arroyo o de un lago, tiene que abrir mucho las patas delanteras e inclinar el largo cuello hasta la superficie del agua. Cuando la jirafa se inclina de esta forma, los depredadores, como los leones o los cocodrilos, pueden atacarla más fácilmente. Cuando los grupos de jirafas beben de una laguna o un lago, se turnan para cuidarse de los depredadores. En caso de advertir un peligro, las jirafas resoplan con fuerza para avisar a las demás.

La vida en común

Las jirafas se trasladan juntas en grandes manadas. En las manadas hay hembras y machos de diferentes edades. Las jirafas hembra protegen con cuidado a sus crías durante las primeras semanas de vida. Las jirafas bebé no pueden defenderse. Dependen de las otras jirafas para que las protejan de los depredadores. Mientras las madres se alimentan, las jirafas jóvenes se quedan con un grupo que las cuida.

Mientras una jirafa bebe, las otras vigilan que no haya depredadores.

Los leones no pueden correr tan rápido como la mayoría de los animales que cazan. Deben acercarse sigilosamente a sus presas.

A salvo de los depredadores

10   Las jirafas tienen pocos depredadores. Los leones y los cocodrilos son los únicos animales que las cazan. Se mantienen a salvo gracias a su altura ya que su largo cuello es como una torre de vigilancia.

Si un león ve una jirafa comiendo de las copas de los árboles, tal vez intente atacarla sigilosamente. El león se acerca reptando poco a poco, silenciosamente. Este método funciona con otros animales que el león caza, como el búfalo de agua. Pero las jirafas casi siempre ven al león cuando se aproxima.

Las jirafas también reciben ayuda para identificar depredadores. Los picabueyes son pequeños pájaros que viajan en el lomo de las jirafas. Comen insectos del pelaje de la jirafa. Cuando los picabueyes pían a todo volumen, la jirafa sabe que debe estar atenta.

Si una jirafa ve a un león que intenta acercarse sigilosamente o si los picabueyes la alertan, la jirafa sale corriendo. Sorprendentemente, las jirafas corren con elegancia. Parece que flotaran por la sabana. Gracias a sus piernas largas, pueden correr a 35 millas por hora, a la misma velocidad de un carro que transita por las calles de una ciudad.

Si un león logra alcanzar a una jirafa, será mejor que tenga cuidado. Las piernas de la jirafa no solo son buenas para correr. También pueden patear con mucha fuerza. Una jirafa puede matar a un león de tan solo una patada.

SECUENCIA Lee nuevamente el texto de esta página. Enumera la secuencia de sucesos que ocurren cuando un león quiere acercarse sigilosamente a una jirafa. Usa palabras como *luego, después, a continuación* y *por último.*

Primero: el león se acerca sigilosamente.

_____

_____

_____

ENCABEZADOS Lee todos los encabezados del artículo. Si estuvieras buscando información sobre los hábitos alimenticios de las jirafas, ¿qué sección leerías? Si quisieras saber qué animales comen jirafas, ¿qué sección leerías? Subraya los encabezados de las dos secciones que leerías.

Sin embargo, ser alto no siempre es bueno. Las jirafas no pueden recostarse cuando están cansadas. Les resulta difícil hacerlo porque son muy altas. ¡También les resulta difícil levantarse! Suelen dormir de pie, pero a veces se sientan o recuestan cuando no hay depredadores cerca. Por suerte, no necesitan dormir mucho. Duermen, en promedio, menos de dos horas por día.

Supervivencia

Muchos de los animales de la sabana, como el elefante y el rinoceronte, están en peligro de extinción. Tienen menos lugares donde vivir debido a la destrucción de su hábitat. También los cazan y los matan. Quedan tan pocos que están en peligro de desaparecer de la Tierra para siempre. Afortunadamente, la mayoría de las jirafas no están en peligro. Hay menos jirafas de las que había hace cien años, pero aún sobrevive un gran número. Solo la jirafa de Uganda está en peligro de extinción. Hay menos de 500 en estado silvestre.

Sin embargo, el hogar de las jirafas está en peligro. Cuando las personas necesitan tierras para cultivar o construir viviendas, las jirafas pueden resultar un obstáculo. Ciertos trabajadores, los cuidadores de jirafas, las trasladan a lugares seguros. Sin embargo, a medida que se usen más tierras para cultivar y construir viviendas, quedarán cada vez menos lugares seguros para las jirafas.

La gran altura y belleza de las jirafas hace que se destaquen entre los animales de la sabana. Ojalá encontremos a estos gigantes mansos allí por mucho, mucho tiempo.

CLAVES DEL CONTEXTO
Subraya la oración que explica el significado de la expresión *en peligro de extinción*.

CAUSA Y EFECTO
El hogar de las jirafas está en peligro. Encierra en un círculo las palabras que explican por qué.

Animales de todo tipo se reúnen en un bebedero.

Preguntas para comentar y afianzar los estándares

Comenta las siguientes preguntas con tus compañeros. Luego, anota las respuestas en los espacios en blanco.

1. "Gigantes de la pradera" es un texto científico de no ficción que incluye mucha información sobre las jirafas. Pero si lo lees con atención, también puedes aprender algo sobre el autor. ¿Qué opina el autor sobre las jirafas? ¿Crees que el autor tiene la misma opinión acerca de otros animales de la sabana? Respalda tus respuestas con detalles del texto.

_____

_____

_____

_____

_____

_____

_____

_____

_____

_____

_____

Comprobar la comprensión

1. ¿Por qué el tamaño de la jirafa la ayuda a sobrevivir?

_____

_____

_____

2. ¿Por qué las jirafas beben por turnos en las lagunas o lagos?

_____

_____

_____

3. ¿Cómo se protegen las jirafas de los depredadores?

_____

_____

_____

_____

Leer por tu cuenta

Lee por tu cuenta otro texto científico de no ficción, "Plantas que se defienden". Ten en cuenta lo que aprendiste en esta lección y comprueba tu comprensión.

Escribir artículos de opinión

Tomar decisiones puede ser difícil. A menudo, cuando en un grupo se deben tomar decisiones sobre temas importantes, se vota. Piensa en una decisión que se debe definir mediante voto porque afecta a un grupo. Antes de que se lleve a cabo la votación, puedes intentar persuadir a otros miembros del grupo para que estén de acuerdo con la opción que tú crees mejor. Puedes hablarle personalmente a cada uno o intentar convencerlos de que voten contigo. Otra manera de persuadirlos es escribir un artículo de opinión.

PREGUNTA ESENCIAL

¿Cómo logramos que un artículo de opinión sea efectivo?

¿Qué es un artículo de opinión?

En muchas familias, cada miembro tiene una tarea asignada. Uno debe sacar la basura; otro, barrer las hojas o limpiar la nieve. Tal vez piensas que deberías hacer otra tarea. Es posible que pienses que un familiar debería hacer más y que otro debería hacer menos. Tal vez piensas que no deberías hacer ninguna tarea. O quizá te gustaría realizar tareas más desafiantes e interesantes. Todas son opiniones.

En un **artículo de opinión**, cuentas tu opinión e intentas persuadir a los demás para que estén de acuerdo contigo. Observa algunas maneras de expresar tus ideas claramente a través de un artículo de opinión.

Tu opinión
Presenta tu opinión con claridad. Debes transmitir con exactitud a los lectores lo que opinas o sientes acerca de un tema.

Argumentos de apoyo
Incluye al menos tres argumentos que respalden tu opinión. Los argumentos de apoyo deben ser datos, no opiniones adicionales. Si los argumentos de apoyo son sólidos, tu artículo de opinión será más convincente.

Conclusión
La conclusión debe resumir la idea y completar el artículo de opinión.

Observemos un artículo de opinión efectivo.

Analizar un texto modelo

El siguiente es un ejemplo de un artículo de opinión efectivo de un estudiante de tercer grado. Léelo y, luego, completa las actividades de los recuadros junto con tus compañeros.

La excursión

Ir al museo es una excursión mejor que ir al zoológico. En el zoológico, puede que los osos estén escondidos en su cueva, y que las focas estén sumergidas en el agua. En el museo, podemos ver muchos más animales en menos tiempo. Deberíamos visitar el Museo de Historia Natural.

En el museo, todos los animales más llamativos están ubicados dentro de vitrinas para que podamos verlos con facilidad. No perderemos el valioso tiempo de la clase buscando animales que ni siquiera están en un lugar visible. Además, podemos leer los datos más interesantes de cada animal en las vitrinas. Hay pinturas del hábitat de los animales más grandes, por lo que observaremos su medioambiente. En el museo podemos aprender más rápido acerca de estos animales que en el zoológico.

Tanto en el museo como en el zoológico, podemos aprender acerca de animales de lugares lejanos. Sin embargo, solo en el museo podemos ver animales que están extintos desde hace miles o millones de años. Por ejemplo, podríamos ver esqueletos de dinosaurios. También podríamos ver exposiciones de mamuts lanudos o de tigres dientes de sable. Por lo tanto, podemos aprender cómo ha cambiado el mundo natural con el paso del tiempo.

OPINIÓN En la introducción, el escritor atrae la atención del lector. Luego, da su opinión acerca de la excursión. Encierra en un círculo la opinión del escritor.

ARGUMENTOS DE APOYO En el segundo y el tercer párrafo, el escritor da argumentos para respaldar su opinión. Subraya el argumento que utiliza en cada párrafo.

ARGUMENTOS DE APOYO En el cuarto párrafo, el escritor menciona otro argumento para apoyar su opinión. Subraya el argumento.

CONCLUSIÓN En la conclusión, el escritor resume los argumentos de apoyo. Subraya la oración que resume los argumentos de apoyo.

Otra razón para visitar el museo es que podemos ir de excursión en cualquier momento. Podríamos ir cuando hayamos estudiado algunos de los animales exhibidos. No necesitamos esperar hasta la primavera para que haya buen clima. No correríamos el riesgo de tener que posponer la excursión por lluvia.

En conclusión, si vamos a pasar el día fuera de la escuela, debemos usar bien el tiempo. No podemos salir de excursión todas las semanas. Debemos sacarle el mayor provecho posible. Definitivamente, podemos aprender mucho más en un día en el museo que en el zoológico. Por eso, sé que debemos visitar el Museo de Historia Natural.

Piensa ▶ ¿A quién crees que intenta persuadir el escritor con su artículo de opinión?

¿Crees que el artículo de opinión convencerá al lector? ¿Por qué?

Estudio del vocabulario: Identificar conexiones de la vida diaria

Las palabras pueden expresar o sugerir el estado de ánimo y la opinión de una persona. El escritor del texto modelo dice que la clase "definitivamente" aprenderá más en el museo que en el zoológico. La palabra *definitivamente* indica que el escritor está muy seguro de su opinión. La palabra *posiblemente* indicaría que no tiene una opinión tan fuerte.

En tu artículo, puedes expresar tu opinión a través de palabras con diferentes matices de significado. Si estás muy seguro de algo, puedes usar palabras con matices más fuertes. Por ejemplo, puedes describir algo como *increíble*, en vez de *bonito*, o como *diminuto*, en vez de *pequeño*. Lee las palabras de la siguiente tabla. Trabaja con tus compañeros para completar los espacios en blanco de cada fila con una palabra. Luego, elige la palabra de cada línea que tenga el matiz de significado más fuerte.

	posiblemente	probablemente
enorme		grande
feliz	contento	
listo		ingenioso
improbable	dudoso	

Al escribir tu artículo de opinión, considera usar palabras con matices fuertes de significado. Sin embargo, asegúrate de usarlas bien. Como práctica, elige uno de los grupos de tres palabras de la tabla anterior. Usa cada una de las tres palabras en una oración distinta, para mostrar cómo se relaciona con cosas o sucesos de la vida diaria.

_____

_____

_____

_____

_____

Proceso de escritura

Ya has leído y analizado un artículo de opinión. Ahora crearás tu propio artículo siguiendo estos pasos del proceso de escritura.

1. Prepararse: Hacer una lluvia de ideas Enumera varios temas sobre los que te gustaría escribir. Elige el tema que mejor puedas argumentar.

2. Organizar Usa un organizador gráfico para planear tu artículo de opinión.

3. Hacer un borrador Escribe el primer borrador de tu artículo de opinión.

4. Comentar en parejas Trabaja con un compañero para evaluar y mejorar tu borrador.

5. Revisar Usa las sugerencias de tu compañero para revisar tu artículo de opinión.

6. Editar Revisa tu trabajo con atención para eliminar los errores de ortografía, puntuación y gramática.

7. Publicar Escribe la versión final de tu artículo de opinión.

Trabajo de escritura

En esta lección, escribirás tu propio artículo de opinión. A medida que escribes el artículo, recuerda los elementos del texto modelo que transmitieron mejor la idea del escritor. Lee la siguiente instrucción:

> Imagina que tu clase adoptará una mascota para el salón. ¿Qué tipo de mascota deberían elegir? ¿Por qué?
>
> Escribe un artículo de tres a cinco párrafos para expresar tu opinión acerca de qué animal sería una mejor mascota para la clase. Asegúrate de usar datos que respalden tu opinión. Intenta persuadir a tus compañeros de que tu idea es la mejor.

1. Prepararse: Hacer una lluvia de ideas

El primer paso para escribir un artículo de opinión es elegir el tema. Empieza enumerando algunas mascotas posibles. Para cada una, escribe el mejor argumento a favor de adoptarla y el mejor argumento en contra de adoptarla.

El autor del artículo modelo hizo la siguiente lluvia de ideas.

	Zoológico	**Museo**
argumento a favor	Podemos ver animales vivos.	Podemos ver más animales en menos tiempo.
argumento en contra	Es posible que los animales estén escondidos y no podamos verlos.	No estaremos al aire libre.

¡Inténtalo! Usa un organizador gráfico

Ahora usa la siguiente tabla para hacer una lluvia de ideas para tu artículo de opinión. Elige la mascota sobre la que puedas argumentar mejor.

	Mascota 1: _____	**Mascota 2:** _____	**Mascota 3:** _____
argumento a favor			
argumento en contra			

Hacer una lluvia de ideas para elegir el tema

Puedes usar un organizador gráfico como ayuda para hacer una lluvia de ideas y detalles para tu artículo de opinión. El autor del texto modelo completó el siguiente organizador gráfico.

OPINIÓN Empieza por expresar tu opinión de manera clara y convincente.

ARGUMENTOS Da argumentos que respalden tu opinión. Podrás expandir o revisar tus argumentos cuando hagas el borrador de tu artículo de opinión.

DETALLES Agrega uno o más detalles para cada argumento. Estos detalles deben ser datos, no opiniones adicionales. Podrás pensar más detalles cuando hagas el borrador.

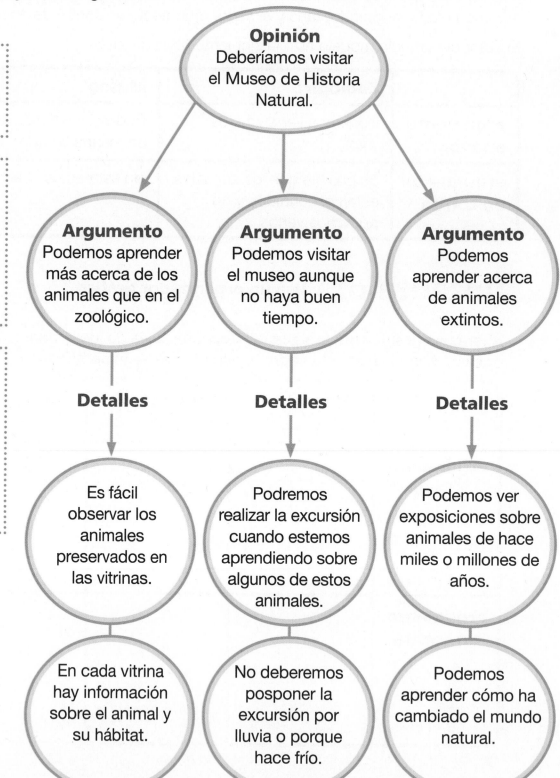

Opinión
Deberíamos visitar el Museo de Historia Natural.

Argumento
Podemos aprender más acerca de los animales que en el zoológico.

Argumento
Podemos visitar el museo aunque no haya buen tiempo.

Argumento
Podemos aprender acerca de animales extintos.

Detalles

Detalles

Detalles

Es fácil observar los animales preservados en las vitrinas.

Podremos realizar la excursión cuando estemos aprendiendo sobre algunos de estos animales.

Podemos ver exposiciones sobre animales de hace miles o millones de años.

En cada vitrina hay información sobre el animal y su hábitat.

No deberemos posponer la excursión por lluvia o porque hace frío.

Podemos aprender cómo ha cambiado el mundo natural.

¡Inténtalo!

Usa un organizador gráfico para la lluvia de ideas

Ahora, usa el organizador gráfico para hacer una lluvia de ideas acerca de tu opinión, los argumentos y los detalles de tu artículo.

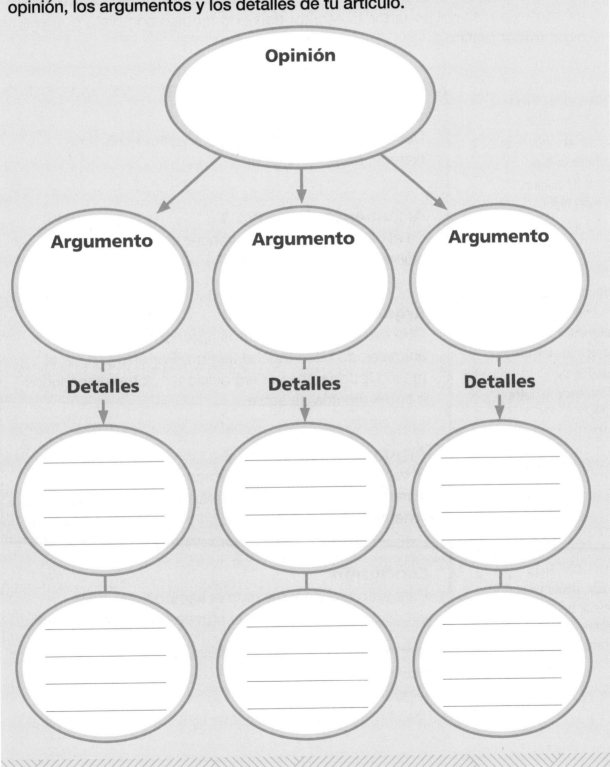

2. Organizar

Ya casi estás listo para empezar a hacer el borrador de tu artículo de opinión. Puedes usar un organizador gráfico para anotar las ideas y los detalles que pensaste durante la lluvia de ideas. Podrás consultarlo mientras trabajas en las diferentes partes del borrador. El escritor del texto modelo completó el siguiente organizador gráfico.

INTRODUCCIÓN En el primer párrafo, debes:

- presentar el tema de tu artículo de opinión.
- expresar tu opinión acerca del tema.

PÁRRAFOS DE APOYO En el segundo, tercero y cuarto párrafo, debes:

- dar argumentos que respalden tu opinión.
- desarrollar los argumentos con datos y detalles.

CONCLUSIÓN En la conclusión, debes resumir brevemente tus argumentos y presentar un final convincente.

Opinión
Deberíamos ir de excursión al Museo de Historia Natural, no al zoológico.

Argumento de apoyo 1
En el museo, podemos aprender acerca de más animales en menos tiempo.

Argumento de apoyo 2
Otra razón es que podemos aprender acerca de animales de hace mucho tiempo. Por ejemplo, en el museo, podríamos ver exposiciones sobre dinosaurios o tigres dientes de sable.

Argumento de apoyo 3
Si vamos al museo, no debemos preocuparnos por el mal tiempo. Podemos ir de excursión en otoño, invierno o primavera.

Conclusión
Para aprovechar al máximo el tiempo fuera de la escuela, debemos visitar el Museo de Historia Natural.

¡Inténtalo! Organiza tu artículo de opinión

Ahora, usa el siguiente organizador gráfico para anotar las ideas y los detalles que quieres incluir en cada uno de los párrafos de tu borrador.

Opinión

Argumento de apoyo 1

Argumento de apoyo 2

Argumento de apoyo 3

Conclusión

3. Hacer un borrador

Llegó el momento de empezar el primer borrador de tu artículo de opinión. Recuerda que no es necesario que el borrador sea perfecto. Ahora puedes usar tus notas, escribir tus ideas de manera organizada y divertirte. Más tarde tendrás tiempo de revisar lo que escribes. Empieza el borrador de tu relato en una computadora o en una hoja de papel aparte. Expresa tu opinión acerca de qué animal deberían adoptar. Da varios argumentos que respalden tu opinión.

Técnica del escritor: Usar palabras y frases de enlace

Las palabras y frases de enlace ayudan a que el texto se lea con fluidez. Además, ayudan a los lectores a comprender cómo se relacionan las opiniones y los argumentos. Las siguientes son algunas de las palabras y frases de enlace más frecuentes.

Palabras de enlace	desde, finalmente, mientras, pero, porque, primero, siguiente, también
Frases de enlace	a pesar de, como resultado, en conclusión, por ejemplo, por esta razón, por lo tanto, sin embargo

El autor del texto modelo usa palabras y frases de enlace en el tercer párrafo.

RELACIONAR IDEAS Lee el fragmento del texto modelo. Encierra en un círculo las palabras y frases de enlace que relacionan los argumentos y las opiniones.

Tanto en el museo como en el zoológico, podemos aprender acerca de animales de lugares lejanos. Sin embargo, solo en el museo podemos ver animales que están extintos desde hace miles o millones de años. Por ejemplo, podríamos ver esqueletos de dinosaurios. También podríamos ver exposiciones de mamuts lanudos o de tigres dientes de sable. Por lo tanto, podemos aprender cómo ha cambiado el mundo natural con el tiempo.

¡Inténtalo! Escribe tu primer borrador

En una computadora o en una hoja de papel aparte, continúa el borrador de tu artículo de opinión. Recuerda usar palabras y frases de enlace para relacionar tus ideas y argumentos. Mientras escribes, ten en cuenta esta lista de control para hacer borradores.

✔ Un buen principio atrae la atención del lector. Puedes empezar con una pregunta, una cita o una experiencia interesante o graciosa.

✔ Asegúrate de presentar tu opinión en el primer párrafo.

✔ Escribe una oración introductoria que exprese con claridad el argumento de cada uno de los párrafos de apoyo.

✔ Usa los argumentos y detalles que anotaste en el paso 2: Organizar.

✔ Incluye oraciones con explicaciones, detalles y datos en cada párrafo de apoyo. Usa palabras y frases de enlace para relacionar los argumentos y las opiniones.

✔ Al final, resume tus argumentos. Termina el artículo de manera convincente para que los lectores recuerden tu opinión.

Sugerencias para escribir el primer borrador

- Anota las frases e ideas clave antes de empezar a escribir. A veces, es una muy buena preparación.

- Enfócate en las ideas, no en los detalles. Cuando revises y edites el texto más adelante, podrás arreglar los detalles. En el borrador, lo que importan son las ideas.

- Asegúrate de que todas tus ideas estén relacionadas. Usa la lista de palabras y frases de enlace para relacionar tus opiniones y argumentos en cada párrafo.

4. Comentar en parejas

Cuando termines tu borrador, trabajarás con un compañero para intercambiar y revisar sus trabajos. El siguiente es un borrador del texto modelo. Trabaja con tu compañero para leerlo y responder a las preguntas de los recuadros. Luego, veremos cómo el compañero del escritor evaluó su borrador.

Borrador inicial

INTRODUCCIÓN En el borrador, el escritor no expresa su opinión con claridad. ¿Piensa que no deberían ir a ninguno de los dos lados?

PÁRRAFOS DE APOYO Tanto en el segundo como en el tercer párrafo, se podrían usar algunas palabras de enlace. El escritor podría relacionar mejor sus ideas. En el tercer párrafo, ¿qué palabra de enlace agregarías en la segunda oración? ¿Por qué?

CONCLUSIÓN En la conclusión, el escritor solo resume uno de sus argumentos principales. ¿Cómo resumirías brevemente sus otros argumentos?

La excursión

¿Por qué queremos visitar el museo o el zoológico? ¿Esperamos ver algunos animales? En el zoológico, es posible que los osos estén en su cueva y que las focas estén en el agua. La decisión que debemos tomar es obvia.

En el museo, todos los animales conservados están dentro de vitrinas. Además, podemos leer datos acerca de cada animal en las vitrinas. Los animales están en hábitats pintados para que se vean exactamente como en su medioambiente. Podemos aprender mucho más de los hábitats de estos animales que en el zoológico.

Tanto en el museo como en el zoológico, podemos aprender acerca de animales de lugares lejanos. En el museo, podemos ver animales de hace mucho tiempo. Podríamos ver esqueletos de dinosaurios. Podemos aprender cómo ha cambiado el mundo natural con el tiempo.

Otra razón para visitar el museo es que podemos ir de excursión en cualquier momento. No necesitamos esperar hasta la primavera para que haya buen clima. No correríamos el riesgo de tener que posponer la excursión por lluvia.

En conclusión, deberíamos visitar el museo porque podemos ver más animales en menos tiempo. Podemos aprender mucho más en un día en el museo que en el zoológico. Por eso deberíamos visitar el Museo de Historia Natural.

Ejemplo de ficha para comentar en parejas

La siguiente ficha muestra cómo un compañero evaluó el borrador del texto modelo que se encuentra en la página anterior.

En la introducción, se presenta el tema de manera interesante.	Hiciste un buen trabajo al *explicar que hay dos opciones, visitar el museo o el zoológico.*
El escritor expresa su opinión de manera clara y convincente en el primer párrafo.	Podrías mejorar tu borrador si *escribieras tu opinión de manera más clara.*

El escritor apoya la opinión con al menos tres argumentos convincentes.	Hiciste un buen trabajo al *dar tres argumentos.*
El escritor incluye detalles interesantes para apoyar los argumentos.	Podrías mejorar tu borrador si *apoyaras los argumentos con más detalles.*

El escritor usa palabras y frases de enlace para relacionar ideas y que el artículo se lea con fluidez.	Hiciste un buen trabajo al *usar la frase de enlace "otra razón" al comienzo del párrafo 4.*
	Podrías mejorar tu borrador si *incluyeras palabras de enlace para relacionar ideas en los párrafos 2 y 3.*

En la conclusión, el escritor resume los argumentos de apoyo y presenta un final convincente.	Hiciste un buen trabajo al *volver a mencionar uno de tus argumentos.*
	Podrías mejorar tu borrador si *resumieras tus otros argumentos.*

¡Inténtalo! Comenta en pareja

Ahora, trabajarás con un compañero para intercambiar y revisar los borradores usando la siguiente ficha. Si necesitan ayuda, vuelvan a mirar la ficha del escritor del texto modelo en busca de sugerencias.

En la introducción, se presenta el tema de manera interesante.	Hiciste un buen trabajo al
El escritor expresa su opinión de manera clara y convincente en el primer párrafo.	Podrías mejorar tu borrador si

El escritor apoya la opinión con al menos tres argumentos convincentes.	Hiciste un buen trabajo al
El escritor incluye detalles interesantes para apoyar los argumentos.	Podrías mejorar tu borrador si

El escritor usa palabras y frases de enlace para relacionar ideas y que el artículo se lea con fluidez.	Hiciste un buen trabajo al
	Podrías mejorar tu borrador si

En la conclusión, el escritor resume los argumentos de apoyo y presenta un final convincente.	Hiciste un buen trabajo al
	Podrías mejorar tu borrador si

¡Inténtalo!   Anota los comentarios clave

Llegó el momento de que tú y tu compañero comenten sus trabajos. Escucha los comentarios de tu compañero y anota los más importantes en la columna de la izquierda. Luego, escribe algunas ideas para mejorar tu borrador en la columna derecha.

Según los comentarios de mi compañero, la introducción	Voy a
Según los comentarios de mi compañero, el primer argumento de apoyo	Voy a
Según los comentarios de mi compañero, el segundo argumento de apoyo	Voy a
Según los comentarios de mi compañero, el tercer argumento de apoyo	Voy a
Según los comentarios de mi compañero, la conclusión	Voy a

Usa el siguiente espacio en blanco para escribir algo más que encuentres en tu borrador que puedes mejorar.

5. Revisar

En este paso del proceso de escritura, trabajarás en las partes de tu borrador que debes mejorar. Usa como ayuda la ficha que completó tu compañero. Además, usa tus propias ideas para mejorar cada parte de tu artículo de opinión. La siguiente lista de control incluye algunos puntos que debes considerar cuando te prepares para hacer la revisión.

Lista de control para la revisión

✔ ¿Atraigo el interés del lector con mi principio?

✔ ¿Expreso mi opinión con claridad en el primer párrafo?

✔ ¿Las oraciones introductorias expresan con claridad los argumentos de apoyo?

✔ ¿Uso explicaciones, detalles y datos para apoyar mi opinión?

✔ ¿Uso palabras de enlace para relacionar las opiniones y los argumentos?

✔ ¿Es interesante la conclusión? ¿Resumí bien los argumentos?

Técnica del escritor: Comparativos y superlativos

Cuando comparamos dos personas u objetos, usamos estructuras comparativas.

Ejemplo: Ir al museo es **más** divertido **que** ir al zoológico.

Cuando comparamos elementos que pertenecen a un mismo grupo de personas u objetos, usamos estructuras superlativas.

Ejemplo: Ir al museo es **la** excursión **más** educativa.

COMPARATIVOS Y SUPERLATIVOS El escritor del texto modelo usa estructuras comparativas y superlativas para persuadir al lector. En este párrafo, subraya tres estructuras superlativas. Encierra en un círculo una estructura comparativa.

En el museo, todos los animales más llamativos están ubicados dentro de vitrinas para que podamos verlos con facilidad. No perderemos el valioso tiempo de la clase buscando animales que ni siquiera están en un lugar visible. Además, podemos leer los datos más interesantes de cada animal en las vitrinas. Hay pinturas del hábitat de los animales más grandes, por lo que observaremos su medio ambiente. En el museo podemos aprender más rápido acerca de estos animales que en el zoológico.

¡Inténtalo! **Revisa tu artículo de opinión**

Al usar estructuras comparativas y superlativas, logras que tu artículo de opinión sea más interesante y convincente. Escribe una oración en la que uses una estructura comparativa o superlativa con cada una de las siguientes palabras.

increíble _____

fácil _____

difícil _____

inteligente _____

Trabajo de escritura

Llegó el momento de revisar el borrador de tu artículo de opinión. Continúa trabajando en una computadora o en una hoja de papel aparte. Verifica la instrucción y la lista de control para saber si has incluido todo lo que necesitabas.

Imagina que tu clase adoptará una mascota para el salón. ¿Qué tipo de mascota deberían elegir? ¿Por qué?

Escribe un artículo de tres a cinco párrafos para expresar tu opinión acerca de qué animal sería una mejor mascota para la clase. Asegúrate de usar datos que respalden tu opinión. Intenta persuadir a tus compañeros de que tu idea es la mejor.

6. Editar

Luego de revisar tu artículo de opinión, debes editarlo. Cuando editas, lees con atención para detectar todos los errores que pueda haber en el texto. Esta lista de control indica algunos puntos que debes verificar cuando editas.

Lista de control para la edición

✓ ¿Todas las oraciones están completas?

✓ ¿Empezaste todas las oraciones con mayúscula?

✓ ¿Empezaste todos los sustantivos propios con mayúscula?

✓ ¿Todas las oraciones tienen la puntuación adecuada?

✓ ¿Usaste bien las comas?

✓ ¿Todas las palabras están bien escritas?

Puedes usar estos signos de corrección para marcar todos los errores que encuentres.

^ /	Agregar Minúscula	⫘ ⨎ ≡	Agregar comillas Borrar Mayúscula	↱ ↲ ⊙	Agregar una coma Agregar tilde Agregar punto

Esta parte del borrador del texto modelo muestra cómo usar los signos de corrección.

Ir al museo es una excursión mejor que ir al zoológico

en el zoológico puede que los Øsos esten escondidos en su

cueva, y esperemos por horas para, al fin, decir: Olvídalo.

Puede que las focas ~~focas~~ estén sumergidas en el agua. En

el museo, podemos ve muchos más animales en menos

tiempo. Deberíamos visitar el Museo de Historia Natural.

Enfoque en el lenguaje: Uso de mayúsculas, puntuación y acentuación

Todas las oraciones empiezan con mayúscula. Terminan con un punto o empiezan y terminan con signos de interrogación o exclamación. Sin embargo, a menudo también se usan **mayúsculas** y **signos de puntuación** en el medio de las oraciones. Todos los sustantivos propios, como los nombres de las personas, empiezan con mayúscula. Usamos comas entre partes separadas de una oración.

Citas

Cuando citamos las palabras de alguien, las escribimos entre comillas. Colocamos una coma después de la comilla de cierre, si la oración continúa más allá de la cita.

Ejemplo: "Queremos comida china", dijeron los niños.

Acentuación

Asegúrate de colocar las tildes correctamente. Las palabras agudas, como *están*, solo llevan tilde si terminan en vocal o en las consonantes *n* o *s*. Las palabras graves, como *animales*, solo llevan tilde si terminan en consonante, exceptuando la *n* y la *s*. Las palabras esdrújulas, como *zoológico*, siempre llevan tilde.

Algunas palabras especiales llevan tilde para diferenciarse de otras que se escriben igual. Por ejemplo, *aun* (incluso)/ *aún* (todavía); *mas* (pero)/ *más* (aumento, suma); *si* (condición, suposición)/ *sí* (afirmación)

Ejemplo: Sí, iremos a la playa si no llueve.

En el museo, todos los animales más llamativos están ubicados dentro de vitrinas para que podamos verlos con facilidad. No perderemos el valioso tiempo de la clase buscando animales que ni siquiera están en un lugar visible. Además, podemos leer los datos más interesantes de cada animal en las vitrinas. Hay pinturas del hábitat de los animales más grandes, por lo que observaremos su medio ambiente. Podemos aprender más rápido acerca de estos animales que en el zoológico.

ACENTUACIÓN Lee este párrafo del texto modelo. Encierra en un círculo una palabra que lleve tilde para diferenciarla de otra que se escribe igual. Dibuja una estrella al lado de las palabras esdrújulas.

¡Inténtalo! Practica la edición y el uso del lenguaje

Usa lo que aprendiste sobre el uso de mayúsculas y la puntuación para subrayar la versión correcta de cada una de las siguientes oraciones.

Tu libro favorito es *Las aventuras de Alicia en el País de las Maravillas*?

¿Tu libro favorito es *Las aventuras de Alicia en el País de las Maravillas*?

"Vamos a la casa de Mike", dije.

"Vamos a la casa de Mike" dije.

el *Mayflower* atracó en Plymouth, Massachusetts.

El *Mayflower* atracó en Plymouth, Massachusetts.

Ahora usa signos de corrección para marcar los errores del siguiente párrafo.

—Deberíamos comprar una iguana —dijo max—. Vi una en el

zoológico de San Diego. Era fabulosa!

—Solo es una lagarto grande—dijo Maya—. No me gustan los reptiles

—Adoptemos un conejo —dije—. La familia de Sara tiene un conejo

y es muy bonito.

Todos estuvieron de acuerdo. luego, leímos un relato llamado "Mi

mascota el conejito. El relato enseñaba cómo cuidar conejos.

¡Inténtalo! **Edita tu artículo de opinión**

Ahora, edita tu artículo de opinión. Usa la siguiente lista de control y los signos de corrección que aprendiste para corregir los errores que encuentres.

☐ ¿Todas las oraciones están completas?

☐ ¿Empezaste todas las oraciones con mayúscula?

☐ ¿Empezaste todos los sustantivos propios con mayúscula?

☐ ¿Todas las oraciones tienen la puntuación adecuada?

☐ ¿Usaste bien las comas?

☐ ¿Todas las palabras están bien escritas?

Sugerencias para la edición

- Lee el relato en voz alta para detectar si faltan palabras o hay oraciones extrañas. Pregúntate: "¿Suena bien?".

- Mientras lees, escucha con atención las pausas que haces. Por lo general, las pausas indican los lugares donde debería haber un signo de puntuación. Pregúntate si te falta algún signo de puntuación.

- Lee tu relato lentamente por lo menos dos veces. Cuando leemos en busca de errores, ¡una sola lectura no es suficiente!

7. Publicar

En la computadora o en una hoja de papel aparte, crea un borrador final de tu artículo de opinión que se lea con claridad. Corrige todos los errores que identificaste mientras editabas el borrador. Asegúrate de ponerle un título interesante.

El paso final es publicar tu artículo de opinión. Puedes compartir tu trabajo de distintas maneras.

- Lee tu artículo de opinión en voz alta a la clase o a un grupo pequeño de compañeros. Observa si puedes persuadirlos.

- Comparte tu artículo de opinión con compañeros que hayan escrito acerca del mismo animal. Voten para decidir qué artículo es más convincente.

- Crea un editorial de un periódico con tu artículo de opinión.

- Crea un cartel con tu artículo de opinión y dibujos o fotografías de revistas y periódicos.

Sugerencias para el uso de tecnología

- Publica tu artículo de opinión en el blog de tu clase o de la escuela.
- Busca imágenes de la mascota que elegiste en Internet y úsalas para ilustrar tu trabajo.

Manual de escritura

Guía para los textos funcionales

Los textos funcionales son cosas que escribimos o leemos y nos ayudan en nuestra vida cotidiana. Si necesitas cocinar algo, primero debes leer la receta. Si vas a un evento especial, lees la invitación para saber cuándo y dónde se realizará. Si estás preparando una fiesta, escribes invitaciones con los detalles. En esta sección se presentan ejemplos de distintos textos funcionales y rótulos que muestran las características importantes de cada texto. Si te piden que leas o escribas uno de estos textos funcionales, usa los ejemplos de este manual como modelo.

En la esquina superior izquierda del sobre, escribe tu nombre, tu domicilio, la ciudad, el estado y el código postal.

Pega una estampilla en la esquina superior derecha del sobre.

Nombre del remitente
Domicilio
Ciudad, estado, código postal

En el centro del sobre, escribe el nombre de la persona que recibirá la carta, el domicilio, la ciudad, el estado y el código postal.

Nombre del destinatario
Domicilio
Ciudad, estado, código postal

Megan Pickens
111 Broad Street
Merchantville, FL 12345

Dylan Thompson
22 Ranch Road
Plainville, Texas 45678

Escribe tu domicilio en la parte superior de la carta. Incluye la fecha.

12 Hastings Road
Juneau, Alaska 99801
14 de octubre de 2014

Dirígete a la persona a quien escribes con un saludo usual.

Querido Fred:

    ¿Cómo estás? Fue genial ir a verte a Nebraska. Ya quiero que sea verano para que vengas a Alaska. Mamá prometió llevarnos a pasear e incluso acampar fuera. Le dije a mi mejor amigo Jaime que vendrás. Tiene muchas ganas de conocerte. No conoce a nadie de Nebraska.

    ¿Te acuerdas de la vez que nos quedamos casi toda la noche jugando videojuegos porque queríamos ganar el último nivel de Desafíos 2? Bueno, ¡al fin lo logré! Costó un poco y tardé unas horas. Estoy seguro de que tú también lo lograrás, si no lo hiciste todavía.

Los párrafos del cuerpo de la carta tienen que estar bien organizados y ser claros.

    Bueno, me tengo que ir a ayudar a mamá a sacar la nieve. ¿Puedes creer que ya hay nieve? Pero igualmente tenemos clases. No nieva tan seguido. ¡Nos vemos el verano que viene!

Recuerda mantener un tono informal en la carta.

Tu amigo,

Sam

Sam

El cierre de la carta es una forma de decir "adiós".

Firma la carta.

Dirígete a la persona a la que escribes con un saludo formal como "Estimado" o "Estimada".

Estimada Srta. Osterberg:

Eli no podrá asistir a clases esta semana. Tiene gripe, y su médico recomendó que se quede en casa y haga reposo. Imagino que se pondrá al día con la tarea. Mañana iré a la escuela para buscar algunos deberes y libros. Gracias.

Los párrafos del cuerpo de la nota deben ser claros y estar bien organizados.

La nota debe ser corta y expresar una idea clara.

El cierre de tu nota debe ajustarse al tono del resto de la nota. "Cordialmente" y "Saludos" son buenas opciones.

Atentamente,

Jason Lee

Jason Lee

Firma la nota.

Comienza escribiendo la razón del evento.

¡Elizabeth Novak cumple 10 años!

✳ 10 ✳

Acompáñanos para celebrar el sábado
19 de mayo de 2012 a las 2:00 p.m.

Incluye la fecha y la
hora del evento.

Moonlight Roller Rink
111 Winters Street
Millersburg, Ohio

Indica el nombre y la
dirección del lugar.

Confirmar asistencia al Sr. o a la Sra. Novak
al (123) 456-7890.

Indica una manera de que
tus invitados respondan a la
invitación.

Incluye un título que describa lo que se muestra.

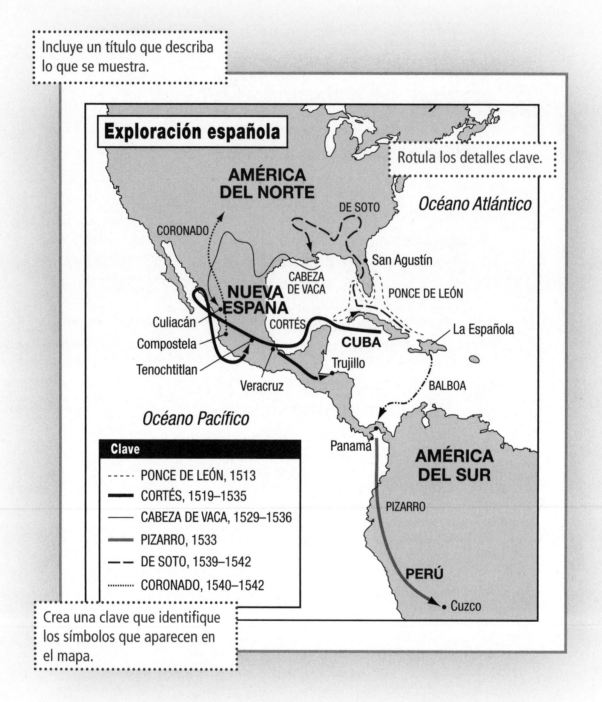

Exploración española

AMÉRICA DEL NORTE

DE SOTO

Océano Atlántico

Rotula los detalles clave.

CORONADO

San Agustín

CABEZA DE VACA

PONCE DE LEÓN

NUEVA ESPAÑA

Culiacán

CORTÉS

La Española

Compostela

CUBA

Tenochtitlan

Trujillo

Veracruz

BALBOA

Océano Pacífico

Panamá

AMÉRICA DEL SUR

PIZARRO

Clave

- ----- PONCE DE LEÓN, 1513
- ——— CORTÉS, 1519–1535
- ——— CABEZA DE VACA, 1529–1536
- ——— PIZARRO, 1533
- – – DE SOTO, 1539–1542
- ·········· CORONADO, 1540–1542

PERÚ

Cuzco

Crea una clave que identifique los símbolos que aparecen en el mapa.

Pastel de otoño

Ingredientes:

- 1 pastel esponjoso
- 1 lata de glaseado blanco
- 1 paquete de caramelos de varios colores
- 1 frasco pequeño de cerezas

Haz una lista de los ingredientes y las cantidades necesarias para la receta.

Instrucciones:

1. Colocar el pastel en una bandeja.

2. Abrir la lata de glaseado. Cubrir todo el pastel con el glaseado usando un cuchillo o una cuchara.

3. Abrir el paquete de caramelos. Formar la palabra OTOÑO sobre el pastel glaseado usando caramelos de diferentes colores.

4. Colocar cerezas en todo el borde del pastel.

5. ¡A comer!

Las instrucciones deben ser claras. Asegúrate de explicar todos los pasos necesarios para preparar el plato.

Escribe un título para el procedimiento.

Cómo hacer un tambor

Si te gusta la música, este es un buen proyecto para ti.

Sigue estos simples pasos para hacer un tambor.

Cosas que necesitas:

- envase cilíndrico vacío, como una lata grande de avena
- un poco de hilo o lana
- 2 lápices
- 2 carretes de hilo
- cartulina
- pegamento
- marcadores

Haz una lista de todos los objetos necesarios.

Mira la lista de cosas que necesitas para hacer el tambor. ¿Son fáciles de conseguir?

Pasos:

Los pasos del procedimiento deben estar numerados.

1. Primero, dibuja un diseño en la cartulina usando los marcadores.
2. Cubre el envase cilíndrico con el papel decorado.
3. Haz un agujero en el centro de la parte de arriba del envase.
4. Haz otro agujero en el centro de la parte de abajo del envase.
5. Pasa un hilo por los dos agujeros y córtalo. El hilo debe ser lo suficientemente largo para que el tambor cuelgue de tu cuello sin problemas.
6. Para hacer los palillos, pon un carrete en el extremo de cada lápiz. Pégalos para que no se salgan.
7. Por último, prueba el tambor.

Las instrucciones deben ser claras. Asegúrate de explicar exactamente qué pasos seguir y cómo completarlos.

Escribe un título para el experimento.

Erosión

Cuando sopla el viento, arrastra arena. La arena desgasta parte de las rocas. Cuando llueve, el agua arrastra parte de las rocas. Cuando se forma hielo sobre las rocas, puede desprender pedazos de roca. Eso se llama *erosión*. La erosión desgasta las rocas. Puedes hacer un experimento para demostrar cómo se produce la erosión.

Materiales:

Haz una lista de todos los materiales que se necesitan para el experimento.

un huevo crudo

vinagre

Los pasos deben estar numerados.

Pasos:

1. Consigue un vaso. El vaso debe ser lo suficientemente alto para que entre el huevo con algo de vinagre.

2. Con cuidado, mete el huevo en el vaso.

3. Agrega vinagre en el vaso hasta que flote el huevo.

4. Deja el huevo en el vaso con vinagre durante un día.

5. Observa si hay burbujas. Las burbujas indican que el vinagre está carcomiendo la cáscara.

6. Deja el huevo en vinagre durante una semana. Pasado ese tiempo, no tendrá más cáscara, pero estará entero. Se verá como un huevo de cáscara transparente.

7. Saca el huevo del vinagre. Estará blando como un globo de agua. No lo aprietes porque explotará.

El vinagre es como una lluvia con químicos. Desgasta la cáscara dura del huevo. El vinagre erosiona la cáscara del huevo al igual que la lluvia y el viento erosionan una roca.

Las instrucciones deben ser claras. Asegúrate de explicar exactamente cómo llevar a cabo el experimento y no agregar información innecesaria.

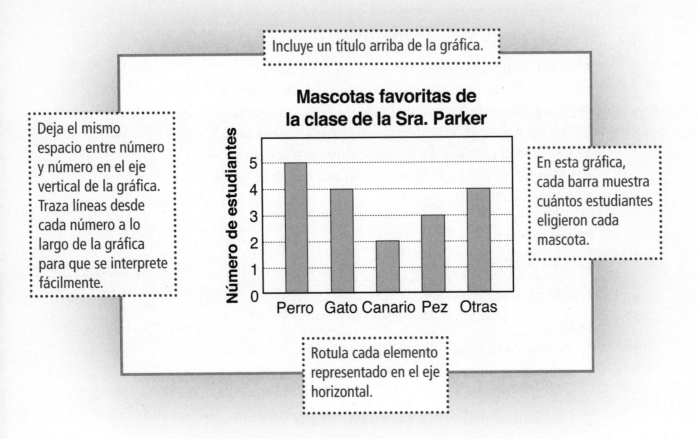

Incluye un título arriba de la gráfica.

Mascotas favoritas de la clase de la Sra. Parker

Deja el mismo espacio entre número y número en el eje vertical de la gráfica. Traza líneas desde cada número a lo largo de la gráfica para que se interprete fácilmente.

En esta gráfica, cada barra muestra cuántos estudiantes eligieron cada mascota.

Rotula cada elemento representado en el eje horizontal.

Glosario

acotaciones (stage directions) instrucciones en una obra de teatro, que indican a los actores lo que deben hacer (Lección 6)

argumentos de apoyo (supporting reasons) hechos, ejemplos u otra información que da un escritor para respaldar su opinión (Lección 11)

artículo de opinión (opinion piece) tipo de texto en el que el autor indica su creencia personal y trata de persuadir al resto para que esté de acuerdo (Lección 11)

capítulo (chapter) sección de un relato (Lección 2)

característica del texto (text feature) elemento, como un título o encabezado, que ayuda a los lectores a hallar información (Lecciones 4, 9)

características de los personajes (character traits) detalles sobre la apariencia física o la personalidad de un personaje (Lecciones 2, 6)

causa (cause) razón por la que ocurre algo (Lecciones 8, 10)

causa y efecto (cause and effect) relación que indica que un suceso hace que ocurra otro suceso (Lecciones 8, 10)

cláusula subordinada (subordinate clause) grupo de palabras que tiene un sujeto y un predicado, pero que no es una oración por sí solo (Lección 9)

claves del contexto (context clues) palabras o frases que rodean una palabra desconocida y que ayudan a entender el significado de esa palabra (Lecciones 1, 2, 3, 4, 6, 7, 8, 10)

clímax (climax) punto de inflexión de un relato; usualmente, la parte más interesante (Lección 2)

coma (comma) , signo de puntuación que indica una pausa en una oración (Lecciones 5, 9)

comillas (quotation marks) " " signo de puntuación que se usa para escribir las palabras exactas que dijo alguien (Lecciones 5, 11)

comparar (compare) indicar en qué se parecen las cosas (Lecciones 2, 4)

conclusión (conclusion) final de un texto (Lecciones 3, 5, 9, 11)

concordancia entre sujeto y verbo (subject-verb agreement) relación en la que el sujeto y el verbo del predicado tienen el mismo número, ya sea singular o plural (Lección 3)

conflicto (conflict) problema que deben resolver los personajes de un relato (Lecciones 2, 3)

conjunción coordinante (coordinating conjunction) palabra que une las cláusulas principales de una oración, como *y*, *o* o *pero* (Lección 9)

conjunción subordinante (subordinating conjunction) palabra o frase, como *a pesar de*, *como* o *porque*, que introduce una cláusula subordinada en una oración (Lección 9)

contrastar (contrast) indicar en qué se diferencian las cosas (Lección 4)

cuento breve (short story) relato inventado, usualmente de pocas páginas (Lección 2)

cuerpo (body) sección del medio de un texto (Lección 9)

descripción (description) palabras y frases vívidas que generan una imagen mental en el lector (Lecciones 3, 7)

desenlace (resolution) conclusión de un relato en la que se resuelve el problema (Lección 2)

detalles (details) información de un relato de ficción o un relato personal que indica quién, qué, cuándo, dónde o cómo (Lecciones 1, 3, 5)

detalles de apoyo (supporting details) hechos, ejemplos u otra información de un pasaje que respaldan la idea principal; en la escritura, hechos y ejemplos que respaldan el tema de la composición (Lecciones 4, 9, 10, 11)

diálogo (dialogue) palabras que dicen los personajes de un relato o una obra de teatro (Lecciones 2, 3, 5, 6)

diccionario (dictionary) libro en el que se incluyen las palabras por orden alfabético con sus significados y otra información (Lección 9)

efecto (effect) resultado de una causa (Lecciones 8, 10)

encabezado (heading) palabra o frase al comienzo de una sección que indica de qué se trata esa sección (Lecciones 4, 8, 10)

escena (scene) sección de una obra de teatro (Lección 6)

escenario (setting) dónde y cuándo ocurre un relato (Lección 2)

estrofa (stanza) grupo de versos de un poema (Lección 7)

estructura comparativa (comparative) frase que se usa para comparar dos cosas usando *más... que...* o *menos... que...* (Lesson 11)

estructura superlativa (superlative) frase que compara más de dos cosas usando *el más..., la más..., el menos..., la menos* (Lección 11)

fábula (fable) relato inventado que enseña una lección (Lección 1)

glosario (glossary) lista ordenada alfabéticamente que incluye palabras difíciles o términos técnicos con sus significados; aparece al final de un libro (Lección 9)

hacer inferencias (make inferences) usar los detalles de un texto, junto con el conocimiento y la experiencia personal, para entender algo que el autor no indica directamente (Lecciones 2, 6)

hacer y responder preguntas (ask and answer questions) hacer preguntas sobre los detalles clave del pasaje de un texto y usar el texto para hallar las respuestas (Lecciones 1, 2, 4, 6, 7, 8, 10)

idea principal (main idea) idea más importante de un texto (Lecciones 4, 9, 10)

ilustración (illustration) imagen que muestra información para ayudar a entender un relato (Lecciones 1, 2)

introducción (introduction) principio de un texto, que suele incluir la idea principal (Lecciones 9, 11)

investigar (research) reunir información de fuentes tales como libros, sitios web y periódicos (Lección 9)

lenguaje no literal (nonliteral language) palabras o frases que tienen un significado distinto del que indica comúnmente el diccionario (Lecciones 2, 6, 7, 9)

lenguaje sensorial (sensory language) palabras que hacen referencia a los cinco sentidos: la vista, el oído, el gusto, el olfato y el tacto (Lección 5)

lenguaje temporal (time-order language) palabras y frases, como *primero*, *después* y *finalmente*, que indican el orden de los sucesos (Lecciones 3, 5)

pie de foto (caption) frase u oración que indica de qué se trata una fotografía (Lección 10)

mapa (map) dibujo o imagen de un área de tierra o agua que muestra características específicas (Lecciones 8, 10)

mito (myth) relato que explica el origen de algo natural (Lección 1)

moraleja (moral) lección corta sobre la vida (Lección 1)

motivación (motivation) razón por la que un personaje hace algo (Lecciones 2, 6)

obra de teatro (drama) relato representado por actores en un escenario (Lección 6)

opinión (opinion) creencia personal; no es posible demostrar que sea cierta o falsa (Lección 11)

oración compleja (complex sentence) oración que incluye una cláusula principal y una o más cláusulas subordinadas (Lección 9)

oración compuesta (compound sentence) oración que contiene dos o más oraciones simples o cláusulas principales (Lección 9)

oración simple (simple sentence) oración que tiene un sujeto y un predicado, y que incluye una idea completa (Lección 9)

ortografía (spelling) escritura correcta de las palabras (Lección 5)

palabras y frases de enlace (linking words and phrases) palabras y frases que relacionan ideas para que el texto fluya (Lecciones 9, 11)

párrafos de apoyo (supporting paragraphs) párrafos de un texto que desarrollan un tema con explicaciones, detalles de apoyo y hechos (Lecciones 9, 11)

pasos de un proceso (steps in a process) tipo de organización de texto en el que el escritor presenta las diferentes etapas para hacer algo (Lección 8)

personaje (character) persona, animal u otro ser de un relato o poema (Lecciones 1, 2, 3, 6)

poesía (poetry) literatura escrita en versos y estrofas; suele incluir rima, ritmo y descripciones vívidas (Lección 7)

prefijo (prefix) grupo de letras agregado al principio de una palabra que cambia el significado de esa palabra (Lección 5)

pronombre (pronoun) palabra que reemplaza a un sustantivo (Lección 3)

propósito del autor (author's purpose) razón por la que un autor escribe un texto; usualmente, para informar, entretener o persuadir al lector (Lección 4)

punto (period) . signo de puntuación que aparece al final de una oración (Lección 11)

punto de vista (point of view) perspectiva desde la que se cuenta un relato (Lecciones 1, 6)

raíz (root word) base o parte principal de una palabra (Lección 5)

recurso (resource) material impreso o en línea que incluye información sobre un tema y que se usa para investigar (Lección 9)

relato de ficción (fictional narrative) relato que inventa un escritor (Lección 3)

relato personal (personal narrative) tipo de texto en el que el autor describe una experiencia personal (Lección 5)

repetición (repetition) palabra, frase o verso que se repite en un poema (Lección 7)

rima (rhyme) sonidos que se repiten al final del verso de un poema (Lección 7)

ritmo (rhythm) patrón de sílabas acentuadas y no acentuadas en el verso de un poema (Lección 7)

rótulo (label) palabra o frase que nombra algo de una fotografía, un mapa o un diagrama (Lecciones 8, 10)

secuencia (sequence) orden de los sucesos (Lecciones 2, 3, 6, 10)

signos de exclamación (exclamation mark) ¡! signos de puntuación que aparecen al principio y al final de una exclamación (Lección 5)

signos de interrogación (question mark) ¿? signos de puntuación que aparecen al principio y al final de una pregunta (Lección 5)

sustantivo (noun) palabra que nombra una persona, un lugar, una cosa o una idea (Lección 3)

tema (theme) mensaje o verdad sobre la vida que se aborda en un relato (Lecciones 1, 2)

texto científico de no ficción (scientific nonfiction) texto que incluye información sobre un tema científico, basada en hechos (Lección 10)

texto histórico de no ficción (historical nonfiction) texto sobre sucesos o personas reales del pasado (Lección 4)

texto informativo/explicativo (informative/explanatory text) texto que incluye hechos y detalles sobre un tema de no ficción (Lección 9)

texto técnico (technical text) texto que explica cómo hacer algo o cómo funciona algo (Lección 8)

título (title) nombre de un texto (Lección 4)

trama (plot) serie de sucesos de un relato (Lección 2)

verbo (verb) palabra que describe una acción o un estado (Lección 3)

volver a contar (retell) contar un relato otra vez, con palabras propias (Lección 1)

Agradecimientos

Créditos de imágenes 5, 16 (arriba), 16 (abajo), 37, 62, 65, 67, 70, 74, 81, 103, 104–109 (fondo), 112–116 (fondo), 119, 128–129, 130, 133, 135, 136–137, 136 (arriba), 140 (arriba), 140 (abajo), 141, 142, 143 (arriba), 143 (abajo), 144 (abajo), 147, 150, 173, 174, 176, 180, 182, 183, 187, 189, 198 (abajo) Thinkstock; 19 Flickr; 39, 40, 79, 82, 126–127, 134, 136–137 (abajo), 144 (arriba), 181, 184, 190 Shutterstock; 61, 63, 64, 70–71, 74, 76 Library of Congress; 66 National Archives; 72 (arriba), 73 Wikimedia Commons; 72 (abajo) Wikipedia; 177 NOAA.

Ilustraciones Tapa Jennifer Kalis; 6–7 Francesca Dafne; 8–9 Monica Armino; 12–15 Katriona Chapman; 20–25 Joanne Renaud; 28–34 Dani Jones; 74 Jeff Crosby; 105–109 Andy Catling; 112–116 Colleen Madden; 120–123 Karen Donnely; 142, 149, 156, 175, 180 Q2AMedia.